L'ÉCOLE PRIMAIRE
AU QUOTIDIEN

PÉDAGOGIE D'AUJOURD'HUI

COLLECTION DIRIGÉE PAR GASTON MIALARET

L'ÉCOLE PRIMAIRE
AU QUOTIDIEN

RÉGINE SIROTA

Chargée de recherches au CNRS

OUVRAGE PUBLIÉ AVEC LE CONCOURS
DU CENTRE NATIONAL DE LA RECHERCHE SCIENTIFIQUE

PRESSES UNIVERSITAIRES DE FRANCE

ISBN 2 13 041533 4

Dépôt légal — 1re édition : 1988, juillet

Sommaire

Remerciements

Cet ouvrage est issu d'une thèse de III cycle, L'école primaire au quotidien, Université Paris V, sous la direction de V. Isambert-Jamati.*

Toute recherche est à la fois un travail solitaire et collectif ; qu'il me soit permis de remercier :

— *les personnes qui ont participé au déroulement et à l'achèvement de cette recherche dans le cadre de l'équipe de Sociologie de l'éducation : Juliette Caniou, Angela Neves, Xavier de Brito, Marie-France Grospiron, Agnès Henriot Van-Zanten, Xavier Loredo, Eric Plaisance, Lucie Tanguy ;*
— *ceux qui ont suivi ou relu ce texte : J. Sakarovitch, J.-C. Chamborédon, P. de Gaudemar ;*
— *et enfin les enseignants et les élèves qui ont accepté et supporté d'être observés dans leurs classes.*

Je voudrais exprimer ici toute ma profonde reconnaissance à Viviane Isambert-Jamati pour le soutien constant tant scientifique qu'amical qu'elle a su apporter tout au long de cette recherche.

Introduction

« Mais, à défaut d'actes, nous avons à
notre disposition les paroles. Les paroles
possèdent les qualités nécessaires pour
capter, protéger et porter au-dehors ces
mouvements souterrains à la fois impatients
et craintifs. ... Aussi, pourvu qu'elles
présentent une apparence à peu près
anodine et banale, elles peuvent être et elles
sont souvent, en effet, sans que personne y
trouve à redire, sans que la victime elle-
même ose clairement se l'avouer, l'arme
quotidienne, insidieuse et très efficace
d'innombrables petits crimes.

(Nathalie Sarraute, *L'ère du soupçon*,
Gallimard, 1956, p. 122.)

Conjuguer au quotidien le temps de l'école primaire nous projette d'emblée dans cette boîte noire qu'est la classe.

Que se passe-t-il donc à l'intérieur de celle-ci ? Quotidienneté de l'enfance, pratique du métier, comment se rencontrent ces acteurs sociaux décrits parfois comme ennemis, parfois en tant que partenaires, mais rarement dans leur interaction.

Le quotidien scolaire se constitue comme une sphère définie dans le temps et dans l'espace social, en partie autonomisable, où se joue une partie codée certes — à la fois institutionnellement et socialement — mais dont l'issue est encore incertaine.

Dans cette autonomie relative du quotidien, se situe la marge d'initiative des acteurs sociaux. C'est dans ce temps scolaire, dont M. Verret et J.-C. Chamborédon[1] ont fort bien analysé le système de détermination et les usages différentiels, que s'instaure la pratique enseignante. Comment se situe-t-elle face à ces usages différentiels ? Comment ces différents usages l'interpellent-ils ?

Centrer son analyse sur le quotidien scolaire n'implique

---

1. M. Verret, *Le temps des études*, PUL, Paris, Librairie H. Champion, 1975 ; J.-C. Chamborédon, J. Prévot, Le métier d'enfant, in *Revue française de Sociologie*, 1973, XII, 7.

évidemment pas de considérer celui-ci comme un déterminant absolu et unique de ce qui s'y passe. Au contraire, nous nous attacherons à considérer le temps scolaire comme un espace-temps qui ne prend son sens que parmi l'ensemble des espaces-temps dans lequel il se situe[2]. Mais il n'est pourtant pas directement réductible à ceux-ci, il possède une dynamique propre que nous nous proposons d'étudier ici. Elle nous permettra de comprendre comment s'entrechoquent dans l'institution scolaire des temps sociaux structurés différemment, et comment s'entredéterminent les comportements respectifs et réciproques des acteurs sociaux constituant l'institution scolaire au quotidien.

Ignorer ce niveau renvoie la pratique sociale à une nébuleuse identifiable certes par un certain nombre de variables et explicable par des constructions théoriques, mais n'offre que bien peu d'opportunité à l'alternative, au changement.

C'est pourquoi notre intérêt pour le quotidien scolaire ne s'ancre pas seulement dans l'intérêt théorique de ce niveau d'analyse mais bien aussi dans sa richesse potentielle. Il est vrai que les phénomènes identifiés au niveau macrosociologique ont en leur faveur, bien souvent, l'apparence des démonstrations statistiquement prouvées. Mais peut-être peut-on aussi au niveau microsociologique tenter pareille démonstration, tout en étant encore plus prudent sur la légitimité de la démarche et le poids des conclusions.

Constituer le quotidien en fait social, c'est attribuer au détail de chaque instant, à la banalité, à la répétitivité de tous les jours le sens et la force des grands événements qui cristallisent les points d'inflexion des itinéraires sociaux.

Mais comment « saisir le sens de l'insignifiant »[3], dans ce contexte spécifique qui représente une institution, et plus précisément l'institution scolaire ? Car « les phénomènes les plus concrets, les plus banals, les plus familiers, apparemment les plus

---

2. Nous définirons l'espace-temps de l'école primaire par rapport aux différents temps sociaux qui structurent la vie quotidienne : temps de travail, temps de loisirs, temps de la famille, temps de reproduction de la force de travail...

Parlant de l'enfance, et nous situant dans une situation éducative, nous identifierons ces temps sociaux aux instances de socialisation qui leur donnent un lieu et un espace social : l'école, le foyer familial, les bibliothèques..., d'où l'expression utilisée, espace-temps.

3. Ch. Lalive d'Epinay, *Critique de la vie quotidienne. Essai de construction d'un concept sociologique et anthropologique*, communication au Colloque Sociologie et Anthropologie de la vie quotidienne, Paris, 1982.

simples de la vie quotidienne, relèvent d'une analyse relativement abstraite, peu familière et complexe »[4].

Posons d'abord clairement notre problématique : si la littérature sociologique française a fort bien mis en avant, depuis une vingtaine d'années, les phénomènes de réussite ou d'échec scolaire, dans le cadre des différentes théories s'attaquant aux inégalités d'éducation[5], nous voudrions ici les identifier dans leur quotidienneté. Car cet échelon du raisonnement nous paraît, fort souvent, soit sauté au niveau de l'enquête empirique, soit reconstitué assez arbitrairement dans l'analyse théorique, et ce spécifiquement à propos de l'école primaire.

Or échec et réussite scolaires se constituent avant tout dans la quotidienneté du temps scolaire, dans une situation dont on a plus souvent tenté de saisir les déterminants que la dynamique propre, laissant chercheurs et acteurs sociaux face à cette désagréable « pesanteur sociologique » qui ne laisse guère de prise à l'action.

Nous postulerons donc que : le quotidien scolaire peut se lire et se décrypter à travers l'interaction sociale que génère toute situation pédagogique, resituée dans son contexte institutionnel et social.

Ce postulat s'enracinant dans trois prémisses :

1 / Toute situation pédagogique est l'objet d'une interaction sociale.

2 / Dans l'interaction s'autodéterminent les pratiques réciproques des acteurs sociaux concernés.

3 / Toute pratique scolaire est une métaphore de l'ensemble des pratiques sociales d'un individu.

Nos deux dernières prémisses ne sont contradictoires qu'en apparence, car il s'agit bien de comprendre comment et dans quelle mesure, dans la situation pédagogique que propose l'école primaire, s'effectue tel ou tel travail de transposition, de réinterprétation, et de transformations mutuelles de chacun des acteurs sociaux, et ce,

---

4. R. Boudon, *Effets pervers et ordre social*, PUF, 1977.
5. J.-C. Forquin, La sociologie des inégalités d'éducation : principales orientations, principaux résultats depuis 1965, Paris, *Revue française de Pédagogie*, n° 48, juillet-septembre 1979, et n° 49, octobre-décembre 1979 ; J.-C. Forquin, L'approche sociologique de la réussite et de l'échec scolaire : inégalités de réussite scolaire et appartenance sociale, Paris, *Revue française de Pédagogie*, n° 59, avril-juin 1982, juillet-septembre 1982. On peut trouver dans ces textes une analyse exhaustive de l'ensemble des travaux portant sur ce sujet, tant du point de vue français qu'anglo-saxon.

à travers l'interaction sociale qui met en face-à-face maîtres et élèves.

En d'autres termes, y a-t-il un effet propre de la « situation scolaire », une autonomie relative qui déterminerait une spécificité de l'interaction des acteurs sociaux à l'intérieur du temps scolaire ?

Nous nous référons ici à la notion de situation telle que Goffmann la définit dans son article « The neglected situation »[6]. « La définition que je donnerai d'une situation sociale est celle-ci : un environnement de possibilités d'appréhension mutuelle où, chaque fois, une personne se trouve exposée à la perception directe de tous les membres, et où de la même façon elle les trouve offerts à sa propre perception. »

Les comportements observés seront alors considérés comme un système de signes symbolisant le sens et les enjeux que représente le temps scolaire pour les acteurs en présence, en fonction de l'ensemble des déterminants sociaux dans lesquels ils se situent. Le sens de ces comportements découlant à la fois de la situation elle-même, mais aussi de l'ensemble des pratiques dans lesquelles ils s'insèrent.

L'interaction étant alors le lieu d'un échange où chacun se positionne, mais aussi où le comportement de chaque acteur social crée une dynamique nouvelle et redéfinit le contexte[7]. Ce qui veut dire que nous considérerons ici, comme partenaires déterminants de la situation scolaire, autant les élèves que le maître.

Ainsi le système de positions adopté par les élèves nous aidera à situer le maître et, inversement, la pratique enseignante nous permettra de positionner les élèves.

Ainsi dans cette perspective s'agira-t-il de comprendre comment se structure, se détermine la pratique enseignante dans le quotidien.

Nombreuses sont les études qui définissent cette pratique en la référant, implicitement ou explicitement, exclusivement à la position de classe des enseignants[8], ou en la référant à la position

6. E. Goffmann, The neglected situation, in *American Anthropologist*, vol. 66, part. 2, 1964.

7. Au sens de Birdwhistell : « Une définition succincte du "contexte" est qu'il s'agit d'un ici et maintenant ethnographique vérifié. Ce n'est pas un environnement, ce n'est pas un milieu. C'est un lieu d'activité dans un temps d'activité ; d'activité et de règles de signification de celles-ci qui sont elles-mêmes de l'activité » (in *La Nouvelle Communication*, Seuil, 1981).

8. C. Baudelot, R. Establet, *L'école capitaliste en France*, Maspero, 1972 ; I. Berger, *Les instituteurs d'une génération à l'autre*, PUF, 1979 ; P. Bourdieu, *Les héritiers*, Ed. de Minuit, 1964.

institutionnelle[9], mais bien peu d'études réfèrent aussi cette pratique à la situation, c'est-à-dire à l'interaction quotidienne avec les élèves[10].

A la fois problème théorique et problème méthodologique, la constitution du quotidien scolaire en fait observable nous oblige à reformuler notre questionnement initial sur un mode plus directement opératoire. La nécessaire restriction du champ de recherche au choix de quelques indicateurs, apparemment pertinents, nous amène à réduire notre problématique à la série d'inférences suivantes :

Système de rapports sociaux ⟶ le quotidien scolaire ⟶ situation pédagogique ⟶ interaction sociale ⟶ réseau de communication ⟶ mode d'intervention.

Soit : à l'intérieur d'un système de rapports sociaux le quotidien scolaire se cristallise dans la situation pédagogique où se produit une interaction sociale qui crée un certain type de réseau de communication où chacun s'inscrit par son mode d'intervention.

Mais tout d'abord une première analyse s'impose : comment la sociologie de l'éducation a-t-elle jusqu'à présent conceptualisé et analysé cet objet empirique qu'est la classe?

Chapitre I : La classe, un ensemble désespérément vide ou un ensemble désespérément plein ?

Nous ferons ici un bilan des travaux portant sur le sujet, produit d'une part dans le champ des sciences humaines, au sein de la littérature française, et d'autre part au sein de la sociologie britannique et de l'anthropologie américaine.

Chapitre II : Méthodologie, présentation de la grille et enquête.

Afin de saisir le fonctionnement quotidien de la classe nous avons construit une grille d'observation spécifique. Cette grille d'observation est bien sûr une première proposition de lecture de

9. J. Voluzan, *L'école primaire jugée*, Larousse, 1975 ; J. Chobaux, Un système de normes pédagogiques, *Revue française de Sociologie*, num. spécial, VIII, 1968.
10. P. Perrenoud, La pratique pédagogique entre l'improvisation réglée et le bricolage, *Education et Recherche*, n° 2, 1983.

cette quotidienneté scolaire, en fonction d'une série d'hypothèses que nous articulerons autour de la constitution de deux réseaux de communication.

Nous serons ainsi passés, parallèlement à la construction de cette grille et au choix des indicateurs pertinents, d'une problématique de type interactionniste à une méthodologie de type expérimentaliste, chemin que le travail d'interprétation nous fera parcourir en sens inverse.

Puis, à partir de cette première lecture, nous essayerons de comprendre quel système de normes produit et sécrète la situation scolaire elle-même.

Chapitre III : La règle du jeu.

Nous envisagerons cette norme autant dans sa formulation positive quand il s'agit de comportements d'adhésion, que dans sa formulation négative pour les comportements d'opposition, ce qui nous permettra de tester notre hypothèse de la constitution d'un double réseau de communication dans la situation scolaire.

Chapitre IV : Esprit de sérieux et prise de parole.

Dans un troisième temps, afin de saisir en quoi est déterminée et en quoi est autonome la situation scolaire, nous essayerons de comprendre comment le temps scolaire s'insère dans l'ensemble de pratiques des acteurs sociaux observés. Mettant ainsi en parallèle stratégies de socialisation et comportement scolaire, nous analyserons le sens que prend cette règle du jeu pour les élèves. La réussite scolaire des filles représente un paradoxe dont on parle généralement en termes d'adaptation et de docilité devant cette norme. Qu'en est-il ? Comment cette réussite se traduit-elle dans le quotidien scolaire ?

Chapitre V : De l'usage du réseau principal de communication.

Puis, positionnant les élèves en fonction de leur origine sociale, nous analyserons l'usage du réseau principal de communication à travers les modalités de prise de parole. Comment se situent-ils face à cette norme scolaire les uns par rapport aux autres ? Observe-t-on des interactions spécifiques non plus simplement en fonction du jugement interne de l'institution scolaire (le classement scolaire) mais en fonction de l'origine sociale des élèves ?

Enfin, dans une deuxième partie de l'ouvrage nous synthétiserons l'ensemble de nos données en analysant les positions respectives de chaque catégorie sociale isolée dans notre étude :

Chapitre VI : Les classes populaires et l'école primaire.

Chapitre VII : Les cadres moyens et l'école primaire.

Chapitre VIII : Les artisans et l'école primaire.

Chapitre IX : Les cadres supérieurs/professions libérales
et l'école primaire.

Dans ces différents chapitres, nous articulerons notre analyse de la situation scolaire avec l'ensemble des pratiques observées et décrites dans la littérature sociologique à propos de chacune de ces catégories, dans leur rapport avec l'école primaire. Nous référerons ainsi nos observations du quotidien scolaire aux représentations et stratégies scolaires et sociales des différentes fractions de classe observées. Parallèlement, tout au long de cette analyse, nous renverserons notre axe d'interprétation, en prenant non plus les élèves comme point de départ mais les maîtres. Disposant alors, d'une part, de comportements observés à travers notre grille, et, d'autre part, d'interviews, nous confronterons représentations et pratiques.

Au terme de cette analyse nous aurons donc situé les partenaires du quotidien scolaire, à travers les enjeux spécifiques de cette instance de socialisation qu'est l'école primaire par rapport aux autres instances de socialisation avec lesquelles elle entre en conflit, en compétition ou en complémentarité.

CHAPITRE PREMIER

La classe : un ensemble désespérément vide ou un ensemble désespérément plein ?

A | LA CLASSE : UN OBJET D'ÉTUDE SOCIOLOGIQUE[1] ?

« Une classe, en effet, est une petite société », peut-on lire sous la plume de Durkheim dans *Education et Sociologie* publié en 1922. Dans *L'Education morale* (1938), celui-ci analyse d'emblée le rôle socialisateur de la classe et évoque les variations pédagogiques impliquées par la composition du public. Pourtant cet objet de recherche est longtemps resté la « boîte noire » de la sociologie de l'éducation. Etait-ce parce que « les classes peuvent être des endroits incroyablement ennuyeux, il y a rarement quelque chose de dramatique, rarement quelque chose d'un intérêt exceptionnel qui s'y produit », dit Lacey. Spindler lui-même raconte : « Je m'asseyais dans les classes pendant des jours en me demandant ce qu'il y avait à observer. Les enseignants enseignaient, réprimandaient, récompensaient, pendant que les élèves, assis à leurs bureaux, se tortillaient, bavardaient, écrivaient, lisaient, faisaient les malins, comme dans ma propre expérience d'élève, comme dans ma pratique d'enseignant. Que pouvais-je écrire sur mon carnet de terrain vide ? » (Spindler, 1982).

Comment cet objet extraordinairement familier, ennuyeux et

---

1. Le nombre de références incluses dans ce chapitre étant très important, celles-ci sont regroupées dans la première partie, intitulée « La classe », de la bibliographie.

Ce chapitre reprend en partie un article paru dans la *Revue française de Pédagogie* : Approches ethnographiques en sociologie de l'éducation : l'école et la communauté, l'établissement scolaire, la classe, Paris, *Revue française de Pédagogie*, juillet 1987.

routinier a-t-il pu susciter dans ces quinze dernières années une floraison d'études du côté anglo-saxon et américain tout en restant un jardin en friches du côté français ?

Cette dissection anatomique de la familiarité et des évidences signifie-t-elle vraiment un renouveau dans le champ de la sociologie de l'éducation ?

L'analyse de « la classe » peut être prise comme incarnation, comme quintessence de l'analyse du processus de scolarisation. En effet, elle en concentre les diverses conceptualisations et méthodologies, en les tranposant dans une arène bien précise. Mais, inversement, elle en est totalement dépendante. Ainsi, prendre la classe comme « objectif grossissant », comme « lorgnette » permet de saisir l'évolution de courants de recherche et de problématiques qui ont traversé dans ces vingt dernières années la sociologie de l'éducation, et se sont intéressés à ce niveau du processus éducatif. En outre, ceci permet de percevoir et d'appréhender comment un même objet empirique peut être construit par différentes disciplines, et peut se situer progressivement en tant qu'objet de recherche à l'intersection de plusieurs d'entre elles. D'où la difficulté de la tâche, car il est difficile à la fois de résumer de grands courants théoriques, parfois d'origines disciplinaires différentes, et de viser l'exhaustivité du champ. Il ne s'agira donc ici que d'une esquisse.

Pour cette ébauche, on aurait pu adopter différents modes de présentation : historique, par écoles nationales ou par écoles théoriques ou encore par disciplines. Un ordre rigoureux est délicat à maintenir, car les entrecroisements sont multiples entre écoles nationales, disciplines et courants théoriques. Il est en outre parfois délicat de situer très précisément certains « pères fondateurs », car on a souvent l'impression d'être face à ce véritable orchestre invisible, dont parle Winkin (1981), tant certains noms, tels que ceux de Goffman, Becker, Labov, Cazden, Hymes, Garfinkel, viennent profiler leurs ombres derrière nombre de travaux. Nous adopterons ici essentiellement une analyse historique par école nationale tentant de situer les grandes orientations théoriques.

Pourquoi les sociologues s'intéressaient-ils à la classe ? Certes la classe a été très tôt pointée comme l'objet même d'une sociologie de l'éducation, non seulement dans la sociologie française avec Durkheim mais aussi dans la sociologie américaine. Basé sur des intuitions et des souvenirs, l'ouvrage de Waller (1932), *The sociology of teaching*, nous propose une lecture de cet organisme social qu'est l'école, à travers son fonctionnement quotidien. Aussi la classe est-elle définie comme une « des situations » à l'intérieur de laquelle vont se rencontrer maîtres et élèves. Il analysera donc le mode de définition de la situation, les attitudes et les rôles dans la classe, la bataille des exigences scolaires. A l'étude de Waller, considérée comme un classique dans la sociologie de langue anglaise, vont succéder deux études devenues des classiques mais situées dans des courants théoriques bien différents : dans une perspective interactionniste, l'étude de Becker (1957), *Social-class Variations in the Teacher-Pupil Relationship*, sans utiliser l'observation participante, mais à partir d'interviews non directives, va analyser les variations socioculturelles affectant les relations maîtres-élèves. Le texte de Parsons (1959), *The School Class as a Social System : Some of its Functions in American society*, dans le paradigme structuro-fonctionnaliste, étudie la classe comme lieu de socialisation où chacun acquiert le rôle qu'exige de lui la société.

Voici donc situées, dès la fin des années 50, les données du débat sociologique qui va construire cet objet qu'est la classe au sein de la sociologie de l'éducation. Puis le sujet semble tomber dans l'oubli, devant l'éclosion et l'extension des *survey researches* ; en effet la classe représente une unité d'analyse qui semble alors plus du ressort de la psychologie sociale que de la sociologie.

Mais précisons clairement notre objet : prendre la classe comme incarnation du processus de scolarisation *(schooling)* c'est la considérer à la fois comme organisation sociale, d'où l'étude des processus interactionnels, et comme lieu privilégié de transmission du savoir. C'est pourquoi nous nous intéresserons ici tant aux recherches portant sur le curriculum formel que sur le curriculum caché, le curriculum réel comportant à la fois des aspects cognitifs et culturels.

B | LE CONTEXTE FRANÇAIS
OU L'OPACITÉ DE LA BOITE NOIRE

Comment s'est développé dans le cadre de la sociologie française, une approche de la classe et des interactions scolaires ?

Une première réponse s'impose, dans la sociologie de langue française, « la boîte noire » qu'est la classe au niveau de la quotidienneté de l'interaction maître-élève n'a que fort rarement été

construite comme objet sociologique (on peut noter à cet égard
que cet objet n'apparaît qu'incidemment dans le rapport publié
en 1983 sur la recherche en Education en France, Carraz),
contrairement aux traditions sociologiques anglaise et américaine
qui ont très largement analysé cet objet. A l'exception de certains
travaux du Centre de Sociologie européenne, Bourdieu et Passeron
dès 1965, dans *Langage et situation pédagogique*, étude empirique
menée en milieu universitaire et basée sur un test de la classe idéale,
s'intéressent à ce niveau d'analyse ; on retiendra essentiellement de
cette recherche la construction théorique proposée dans *La
Reproduction* (1974). A la même époque, Testanière analysera les
différentes formes de chahut dans *Chahut traditionnel et chahut
anomique* (1967) et Grignon prendra appui sur une étude
ethnographique de l'atelier dans *L'ordre des choses* (1981).

   Ainsi, parler de la classe, en la resituant dans le cadre de la
littérature sociologique française amène à brosser un bref rappel de
l'évolution récente de celle-ci. Tout d'abord par la négative, car il
faut constater d'emblée que si cet objet n'apparaît pas directement
dans les travaux des sociologues de ces 20 dernières années, c'est
cependant un objet privilégié d'analyse pour d'autres disciplines.
On peut ainsi distinguer parmi ces disciplines celles qui n'ont
aucune préoccupation d'ordre sociologique directe, et celles qui
utilisent ou discutent les paradigmes sociologiques du moment.

   Dans la première catégorie, se trouvent au sein des Sciences de
l'Education, les études de pédagogie générale menées à partir de
grilles d'observation. Dans l'ensemble flou des recherches menées
en Sciences de l'Education, l'objet qu'est la classe et l'interaction
maître-élève semble souvent entièrement contenu et résumé dans
ces fameuses grilles d'observation. Ces grilles sont fort nombreuses,
on peut en trouver des présentations en langue française entre
autres dans les travaux suivants : G. De Landsheere and
E. Bayer, *Comment les maîtres enseignent. Analyse des
interactions verbales en classe* (1969) : Fauquet et Strasfogel,
L'audiovisuel au service de la formation des enseignants (1974) ;
M. Postic, *Observation et formation des enseignants* (1977) ;
P. Dupont, *La dynamique de la classe* (1982). Un grand nombre
de ces grilles ont comme objet d'analyse l'étude de l'efficacité de
l'enseignant et de ses caractéristiques. Ces grilles sont généralement
centrées sur le maître dont le comportement est souvent disséqué

en détail. Les élèves étant la plupart du temps considérés comme une masse indifférenciée : on se trouve là généralement dans le modèle behavioriste du stimulus-réponse. A tel comportement de l'enseignant est censé correspondre tel comportement de l'ensemble de la classe. Elaborées dans une perspective soit de contrôle, soit de formation des enseignants (A. Léon, 1975 ; R. Köhn et J. Massonat, 1978 ; R. Köhn, 1982), ces grilles ont pour objectif général de confronter les actes observés à une norme, en ayant déterminé à l'avance le modèle du bon enseignant capable d'instaurer une communication efficace. Largement discutée (E. Bayer, 1973 ; C. Blouet et C. Ferry, 1974), leur portée semble plus résider dans leur utilisation formative, que dans l'approfondissement théorique dans la mesure où elles permettent une décomposition de l'acte d'enseignement.

Entre la première et la deuxième catégorie se trouvent les approches didactiques, et plus spécifiquement les didactiques des disciplines scientifiques qui tentent de construire une théorie des « situations didactiques » (G. Broussaud, 1984) pour analyser les modalités d'enseignement et d'acquisition de concepts. Le cadre de référence est essentiellement psychologique et épistémologique, l'interrogation porte tant sur les obstacles conceptuels (A. Giordan, 1983) que sur les phénomènes de contextualisation/décontextualisation de la transposition didactique (Y. Chevallard et S. Joshua, 1984), l'interaction étant analysée pour comprendre la reconstruction conceptuelle qu'elle opère (A.-N. Perret-Clermont, 1979). Certaines de ces recherches se situent dans une totale asepsie sociale, d'autres réintroduisent la définition du contrat didactique dans la construction du sens de la situation (J. Voigt, 1985).

Il s'agit pour une partie d'entre elles alors de « recherches-innovation », dont l'objectif est de pallier les carences et échecs du système actuel d'enseignement. A la fois recherches appliquées, et recherches de terrain, ces recherches ne partent pas toujours « d'hypothèses théoriques fortes » ainsi que le constate A. Thiberghien dans sa revue de questions sur les travaux récents de didactique de la physique (1985).

Dans la deuxième catégorie, c'est essentiellement autour de la problématique des inégalités de réussite et d'échec scolaire, telle qu'elle est explorée et analysée d'un point de vue macrosociologique par les sociologues dans le cadre des théories de la reproduction, que certaines disciplines reconstruisent la classe et l'interaction maître-élève en tant que situation concrète de constitution de ces inégalités.

Ainsi la maîtrise de la langue ayant été identifiée comme variable clef de la réussite ou de l'échec scolaire, un courant important parmi les linguistes, qu'en l'occurrence on peut qualifier de sociolinguistes, s'attaquera à l'analyse des conditions d'apprentissage et d'acquisition de la langue maternelle, en situation scolaire, selon l'appartenance de classe des élèves. Ces travaux prennent corps dans plusieurs équipes dont :

— Le CRESAS qui publiera successivement : *La dyslexie en question*, 1972 ; *Pourquoi les échecs scolaires dans les premières années de la scolarité*, 1974 ; C. Dannequin, *Les enfants baillonnés*, 1977 ; *Le handicap socioculturel en question*, 1978 ; *Nouvelles études sur l'échec scolaire* I et II, 1978. L'intitulé de ces recherches montre bien les déplacements successifs de l'analyse de l'échec scolaire et sa centration sur la classe et le processus de scolarisation.

— L'équipe de Villetaneuse, avec les travaux de C. Bachmann, J. Lindenfeld et J. Simonin, dans *Langage et communications sociales*, 1981, qui introduiront ces points de vue sur un plan théorique.

— Le CALEF (Université de Rouen, 1976) et l'équipe de l'UER de Linguistique de l'Université de Paris V, F. François, R. Jones, M.-C. Pouder, 1980, qui insisteront sur les phénomènes de normes et de surnormes.

— Au sein de l'INRP, en particulier autour de L. Legrand, H. Romian et D. Mannesse, des travaux portant sur la didactique du français (L. Sprenger-Charolles, 1985) seront menés qui alimenteront ce courant. Celui-ci prendra place dans la presse pédagogique spécialisée, dans des revues telles que *Repères*, *Recherches pédagogiques*, *Le Français aujourd'hui*, *Langue français*, *Etudes de linguistique appliquée*, *Pratiques*, *Bref*...

Une convergence de préoccupation d'ordre théorique interne à la sociolinguistique sur la nature et la portée des disparités linguistiques entre groupes sociaux d'une part et l'importance de la « situation » dans les processus d'énonciation et d'observation amèneront ces linguistes à réconsidérer la situation de la classe (F. Marchand, *Le français tel qu'on l'enseigne*, 1971) tant au point de vue théorique que méthodologique. En phase avec la recherche anglosaxonne, ces travaux discuteront, approfondiront et transposeront les thèses de Bernstein (1975) et Labov (1972) et introduiront les premiers tant les travaux de Gumperz et Hymes sur l'ethnographie de la communication (1972) que l'ethnométhodologie.

Parallèlement, certains psychologues travaillant parfois dans les mêmes équipes (comme le CRESAS) que les linguistes précédemment cités, prendront eux aussi le chemin de l'observation du terrain (L. Lurçat, 1976), passant ainsi d'une psychologie expérimentale centrée sur l'individu à une psychologie centrée sur la situation (M. Brossard, 1981). La psychologie différentielle rejoint alors la psychologie sociale pour s'intéresser à la classe. Explicitement ancré dans l'hypothèse psychanalytique, l'ouvrage de J. Filloux *Du contrat pédagogique* explore la vie en classe à travers l'analyse des représentations mises en scène dans le rapport pédagogique en situation. La situation de la classe est considérée comme un lieu socialement structuré par plusieurs réseaux de signification (G. Ferry, C. Ferry-Blouet-Chapiro, 1981), reprenant les notions de rôles, de status, d'attentes (B. Zazzo, 1982), ces études analyseront les représentations (S. Mollo, 1970, 1975 ; M. Gilly, 1980) respectives des acteurs sociaux et les modes d'adaptations réciproques. La variable classe sociale étant alors explorée dans le cadre de problématique se rapprochant des théories de l'étiquetage (R. Rosenthal et L. Jacobson, 1975 ; D. Zimmerman, 1978) pour en étudier les « retraductions scolaires » que celles-ci se situent au niveau verbal ou non verbal.

Ainsi, dans le *Traité des Sciences pédagogiques* paru en 1974 (tome 6 : *Aspects sociaux de l'éducation*), « l'étude de la classe » fait-elle l'objet d'un chapitre entier rédigé par J.-C. Filloux dans le cadre de l'approche psychosociologique. Par contre, dans le chapitre « Sociologie », rédigé par V. Isambert-Jamati, ce niveau d'analyse ne figure pas dans les différents niveaux d'analyse envisagés. Le niveau de l'établissement étant la plus petite unité sociale envisagée.

J.-C. Filloux, après s'être référé à Durkheim et passant en revue la littérature française et américaine, analyse la classe, en tant que groupe restreint, abordant successivement les objectifs, rôles et normes spécifiques de ce groupe et la structuration des réseaux de communication, tout en accordant une position centrale au maître. La classe sera ainsi définie comme le lieu — support du champ pédagogique.

« L'articulation des conduites d'enseignement et d'apprentissage se situe dans une école, le lieu-support du champ pédagogique est une classe, et s'y réfléchissent, à travers l'organisation du rapport au savoir, des valeurs et des idéologies caractéristiques d'une société. Dans le champ pédagogique il se communique quelque chose, du savoir entre autres, on communique sur ce quelque-chose, on se communique d'une certaine manière les uns aux autres, la classe est l'instrument institutionnalisé où les partenaires de ce processus de communication complexe sont directement en présence et interagissent » (J.-C. Filloux).

Parallèlement à ces orientations théoriques, l'objet classe se trouve appréhendé méthodologiquement très différemment. Ainsi passe-t-on de grilles d'observations préconstruites centrées sur le maître, à des protocoles d'observation de terrain, beaucoup plus centrés sur les élèves. Apparaissent ainsi des procédures d'observation de type ethnographique tentant de rendre compte de la « densité » de l'interaction pour reprendre l'expression de Geertz, qui vont même parfois jusqu'à rompre avec certains présupposés positivistes en allant à la rencontre de l'acteur social, et de sa propre interprétation des phénomènes observés dans le cadre de recherches participantes ou de recherches-action.

On aboutit donc à un double mouvement :

— d'une part un certain nombre de disciplines telles que la psychologie, la linguistique, et certaines didactiques travaillant dans le champ de l'éducation s'emparent des théories sociologiques et les articulant avec leurs problématiques spécifiques arrivent ainsi à identifier et à analyser certaines des médiations par lesquelles se concrétisent ces phénomènes macro-sociologiques ;

— d'autre part, par réciprocité, la mise en évidence de ces médiations renvoie à la sociologie, une vision plus complexe, plus nuancée des tendances identifiées au niveau macro-social.

Ce mouvement permet alors de mettre en évidence les apports et les faiblesses d'une sociologie des inégalités scolaires principalement orientée autour des théories de la reproduction, car à travers ces études se trouvent soulignées la part d'autonomie de la situation de la classe et la complexité des mécanismes adaptatifs et des stratégies mises en place par les acteurs eux-mêmes.

La nécessité d'une approche différente apparaît alors d'autant plus clairement que se conjuguent des facteurs d'ordre divers qui concourrent parallèlement à la restructuration du champ de la sociologie de l'éducation française :

— L'ensemble de la sociologie française, à la suite d'une certaine « crise de ses paradigmes hégémoniques » s'oriente vers un « retour à l'acteur » selon l'expression de A. Touraine. Ne cherchant plus à produire d'approche globalisante, où les individus sont considérés comme agents d'un fonctionnement structurel les dépassant, elle considère l'individu comme acteur — individuel ou collectif — dont il faut interroger la diversité des pratiques et la marge d'autonomie.

— Le niveau macrosociologique ne semble plus alors adéquat pour répondre à de telles interrogations. D'autant plus que dans le champ de la sociologie de l'éducation celui-ci semble en partie épuisé devant l'institutionnalisation de certaines problématiques sous forme d'observatoires permanents, dans le cadre d'organismes officiels ou ministériels producteurs de données nationales (tels l'INSEE, le CEREQ, le SIGES) (V. Isambert-Jamati, 1984).

— De nouveaux objets se dessinent alors dans le champ de la sociologie de l'éducation, ne remettant pas forcément radicalement en cause les apports des théories macrosociologiques mais les dialectisant en se tournant vers l'étude de phénomènes spécifiques ; dans le cadre d'une approche souvent pluridisciplinaire (A. Cunha-Neves, J. Eidelmann, P. Zagefka, 1983) intégrant, par exemple, une perspective historique afin de constituer en objet sociologique « ces résidus laissés à la psychopédagogie » (G. Vincent, 1980). Il s'agit de repousser « les frontières du sociologisable » selon l'expression de C. Grignon, de rendre visible ce qui était invisible. Ainsi la pratique enseignante, les stratégies de scolarisation deviennent-elles des objets importants d'analyse.

— D'autant plus qu'un certain nombre de sociologues, se trouvent inscrits institutionnellement plus directement dans le champ éducatif à travers leur appartenance à des UER (Unités d'Enseignement et de Recherche) de Sciences de l'Education. Le développement d'un enseignement de Sociologie de l'Education, destiné à un public de futurs praticiens et surtout de praticiens ayant déjà une expérience professionnelle importante amène une certaine exigence de transférabilité potentielle des concepts et des analyses. Loin d'amener à l'affadissement des analyses, cette confrontation permanente avec les pratiques professionnelles, amène à dépasser les schémas déterministes de cette « sociologie du soupçon » que sont les théories de la reproduction.

— De plus cet enseignement de Sciences de l'Education, par essence pluridisciplinaire, produit lui-même une nouvelle génération de sociologues pour qui les barrières disciplinaires semblent moins évidentes, moins pertinentes.

Comment expliquer ce décalage entre le développement de la microsociologie française et la microsociologie anglaise et américaine ? La réponse n'est pas simple, mais à travers ce panorama rapide et sommaire, on peut déjà constater la faiblesse de la tradition ethnologique et anthropologique française dans le champ de l'éducation et plus spécifiquement dans le champ de la scolarisation, ainsi l'ouvrage de P. Erny, *Ethnologie de l'éducation*, paru en 1981, ne mentionnait-il pas le sujet, alors qu'aux Etats-Unis une anthropologie de l'éducation florissante (A. Henriot, 1987) sera une des bases de la constitution d'une microsociologie de la classe.

D'autres facteurs spécifiques au contexte français semblent avoir joué :

— l'impact d'un système scolaire hypercentralisé présupposant une grande homogénéité des situations locales ;
— la difficulté, pour les sciences humaines en France, d'ouvrir un dialogue entre elles, la psychologie et la sociologie entretenant traditionnellement des relations qualifiées de « crispées » par les sociologues eux-mêmes. On peut cependant constater que la socio-linguistique fournira pour l'étude de la classe un pont qu'emprunteront linguistes, sociologues, psychologues et pédagogues vers une démarche pluridisciplinaire ;
— l'isolationnisme de la sociologie de l'éducation française qui, dans la décennie post-soixante-huitarde, tend à ignorer la sociologie de langue anglaise, et ce surtout par *a priori* idéologique au point que certains comme J.-P. Aron ont pu qualifier cette période de glaciation.

Conséquence de cet ensemble de facteurs, la nouvelle sociologie de l'éducation (NSE), l'interactionnisme symbolique, l'anthropologie américaine et l'ethnométhodologie seront ignorés pendant les vingt dernières années en tant que tels et ce jusqu'au début des années 80 dans le champ de la Sociologie de l'Education française.

C | LA FLORAISON DU PARADIGME INTERACTIONNISTE AU SEIN DE LA SOCIOLOGIE BRITANNIQUE

Comme le soulignent Forquin (1983) et Trottier (1987), la sociologie de l'éducation britannique à partir du milieu des années 60 va s'intéresser de plus en plus aux processus effectifs qui se déroulent dans les écoles et dans les classes, aux contenus de savoir incorporés dans les programmes et les cursus, aux relations sociales qui se nouent quotidiennement entre les acteurs.

Ainsi la classe apparaît-elle comme un objet « en soi » au sein de la sociologie de l'éducation anglaise. O. Banks dans la dernière version de son classique manuel, *The Sociology of Education*, lui consacrant un chapitre entier : « The Sociology of the Classroom » (1976), alors que comme le note S. Delamont dix ans auparavant le sujet n'aurait pas même fait l'objet d'une conférence.

Cependant il ne s'agit pas d'une approche véritablement originale comme le soulignent Karabel et Halsey, mais plutôt de la réémergence (cf. Angus, 1986) des approches interprétatives et de l'interactionnisme symbolique qui dans le début des années 50 aux Etats-Unis avait constitué la classe en objet d'analyse. Ayant ses lettres de noblesse dans le cadre de la sociologie britannique, l'approche ethnographique de la classe pourrait cependant faire l'objet d'un historique pluridisciplinaire parallèle à celui qui vient d'être fait, mais avec une dizaine d'années d'avance sur la situation française, dans la mesure où les mêmes disciplines, la psychologie sociale (bien que discipline relativement faible en Grande-Bretagne), la sociolinguistique, concourrent à structurer le champ. Mais apparaît dans la littérature anglosaxonne l'influence d'une discipline majeure qui va fortement inspirer l'approche ethnographique de certains sociologues tels que Atkinson, Delamont, Hargreaves, Lacey, « l'anthropologie ». Contrairement à l'école américaine, ainsi que le soulignent Delamont et Atkinson (1980), ce sont essentiellement des sociologues, formés par l'anthropologie ou travaillant dans des départements mixtes anthropologie-sociologie, qui s'intéresseront à la classe.

De plus, toujours avec une dizaine d'années d'avance sur la France les études macrosociologiques fondées sur le paradigme structuro-fonctionnaliste tendent à s'épuiser ainsi que le notent P. Woods (1976) et Karabel et Halsey (1977).

D'autre part, la rapide expansion au sein de l'université, mais aussi au sein des « colleges of education », de cursus d'enseignement de sociologie de l'éducation, interpelle par la spécificité de son public de manière identique les sociologues.

Ce changement de direction (avec sa version neo-marxiste) ouvre ainsi un large champ de sujets de recherche qui jusque-là était considéré comme invisible, ou regardé comme inintéressant, évident ou trivial par la sociologie. On retrouve les mêmes expressions que chez les auteurs français dans les textes de P. Woods et S. Delamont. La classe sera un de ces sujets de prédilection. Bien que l'accent des commentateurs français soit plutôt porté sur les études concernant le curriculum, un grand nombre de recherches va être publié dans cette période.

L'étude de Nell Keddie, *Classroom Knowledge*, publié dans le livre fondateur de la Nouvelle Sociologie de l'Education, *Knowledge and Control* (Young, 1971), permet de situer le basculement théorique qui va s'opérer dans les études s'intéressant à la classe au sein de la Nouvelle Sociologie de l'Education. On peut d'ailleurs souligner qu'il s'agit de la seule étude empirique du recueil, elle sera souvent citée ultérieurement comme référence, l'ambiguïté du titre choisi la situe à l'intersection des grandes thèses abordées dans *Knowledge and Control*.

En effet, l'étude porte à la fois sur les savoirs, transmis et évalués à l'intérieur de la classe, et sur les savoirs ou plutôt sur les connaissances que les enseignants ont sur leurs élèves. Ainsi Keddie, à travers une approche interprétative s'appuyant sur les travaux classiques portant sur la déviance, montre comment se construit « la différentiation à l'intérieur d'un cursus indifférencié ». En effet elle analyse les discordances entre les normes pédagogiques des enseignants et leur pratique quotidienne, montrant comment les élèves font l'objet de perceptions stéréotypées — à partir des groupes de niveaux dans lesquels ils sont placés — et quelles sont les variations dans les savoirs transmis à ces différents groupes en fonction de ces stéréotypes. La mise en évidence de ce processus permet de comprendre comment les déviances éducationnelles sont construites et les identités déviantes maintenues et réifiées.

La série d'ouvrages édités ou écrits par P. Woods et S. Delamont marque la constitution progressive de cette approche. Il s'agit tout d'abord du recueil de textes publié par Hammersley avec

P. Woods comme cours de l'Open University, *The process of schooling* (1976), puis *School Experience* par Hammersley et Woods (1977), *The Divided School*, par P. Woods (1979), suivi des recueils *Teacher Strategies* (1980) et *Pupil Strategies* (1980) et dernièrement de *Sociology and the School, an Interactionnist Viewpoint* (1983) où P. Woods tente une synthèse des travaux qui ont jalonné l'approche interactionniste de l'école.

Issu du même courant théorique mais centré très directement sur la classe, *Frontiers of Classroom Research* (Delamont et Chanan, 1977), *Explorations in Classroom Observation* (1976), ouvrage publié conjointement par la sociologue S. Delamont et le sociolinguistique Stubbs, puis *Interaction in the Classroom* (1976, réédité en 1983), de même que l'ouvrage de A. Pollard, *The Sociology of the Primary School* (1984), délimitent bien cet objet qu'est la classe au sein de la sociologie britannique.

En effet, l'interactionnisme symbolique, plutôt que d'insister sur le fait que les structures sociales pèsent sur les comportements quotidiens de tout un chacun, comme le veut le fonctionnalisme, met en avant le fait que l'ordre social est le produit d'une improvisation réglée.

Ainsi à l'inverse du paradigme structuro-fonctionnaliste les approches compréhensives cherchent à l'intérieur de la classe non plus simplement le reflet d'une structure sociale ou le mode de constitution de cette structure, mais aussi l'autonomie et la spécificité de la « situation ». Avec l'accent porté par l'interactionnisme sur la nature émergente de l'interaction et l'importance accordée à la situation plutôt qu'aux « backgrounds », la classe devient non pas juste un endroit où les forces sociales structurelles peuvent jouer, mais une situation avec une signification explicative pour les comportements, et où les contingences de l'interaction peuvent amener à différentes issues tant pour les élèves que pour les enseignants (Woods et Hammersley).

L'analyse portera donc sur les modes de pensée construits par les acteurs, et sur les termes dans lesquels ils interprètent le monde, et sur la base desquels ils agissent dans le monde plutôt que sur les contraintes structurelles et culturelles. On reconnaît bien là l'inspiration phénoménologique.

Dans la classe il ne s'agit pas uniquement de transmettre ou d'apprendre des savoirs, il s'agit plutôt de « faire face » en apprenant les ficelles, les trucs du métier, de trouver comment se

débrouiller, de découvrir les hiérarchies, les sujets appropriés de
conversation, les tabous... La vie de la classe sera donc considérée
comme un processus continuel de négociations souvent
conflictuelles, souvent subtilement implicites. On s'attachera donc,
à travers l'analyse des routines de la vie quotidienne (Jackson,
1968), à découvrir les règles informelles qui sous-tendent ces
négociations, et maintiennent la cohésion de cette communauté de
travail. Pour cela on prendra appui sur tout ce qui semble déviant
(Stebbins, 1976), parfois même dénué de sens. « Travailler »,
« décrocher », « se marrer », « faire la coquette », « flâner »,
« provoquer », « bavarder », « faire des bêtises » seront alors
considérés sur un même plan, et traités comme des redéfinitions de
la situation opérées par les élèves qui associent ces différentes
stratégies. Ce concept de stratégie considéré ici comme central, sera
défini comme « lieu où l'intention individuelle et les contraintes
extérieures se rencontrent » (Woods). Mais parmi les procédures
de négociations du travail scolaire, seront aussi analysées les
stratégies de survie de l'enseignant à travers les micro-décisions qu'il
prend constamment (cf. Eggleston, *Teacher decision-making in the
classroom*, 1984), car, tant du côté de l'élève que de l'enseignant,
il s'agit de « faire face » à la situation. On voit ici combien cette
approche oscille entre une version très idéaliste du fonctionnement
scolaire, où l'identification des conflits suffirait à résoudre ceux-ci,
et une vision très réaliste où il ne suffit pas de produire des théories
macrosociologiques si on ne comprend pas comment elles se
concrétisent.

C'est pourquoi à la première phase du début des années 70 vont
succéder d'âpres polémiques (Karabel et Halsey, Forquin) qui
souligneront, comme faiblesse essentielle de ces travaux, leur dédain
pour les aspects structuraux, leur romantisme optimiste, leur
incapacité à prendre en compte la structure du pouvoir économique
et la stratification sociale. Des néomarxistes essaieront d'intégrer
ces différents niveaux d'analyse. On peut ainsi distinguer des
travaux tels que ceux de Sharp et Green, *Education and Social
Control* (1975), et les travaux de Willis, *Learning to Labour* (1977),
qui à partir d'une étude ethnographique sur les gars de l'atelier se
tournera vers « les théories de la résistance ». Cependant, un grand
nombre de travaux donne l'impression d'en rester à un niveau assez
descriptif. Pourtant les acquis et l'originalité de cette approche se
situent à plusieurs niveaux.

Tout d'abord elle permet la désignation et la reconstruction d'objets considérés jusqu'à présent comme infrasociologiques. Ainsi, du côté des élèves : pour étudier comment s'intègre le métier d'écolier, on fait l'hypothèse que les élèves apprennent à devenir élèves non pas tant au niveau du rôle prescrit par ceux qui détiennent l'autorité, mais à travers la manière dont les élèves eux-mêmes conçoivent ce rôle (ainsi les stratégies de provocation à l'égard du maître servent à comprendre la règle du jeu), sachant que des cultures différentes s'entrechoquent.

Quant au travail scolaire, analysé comme le résultat d'une difficile négociation entre maître et élèves, il sera ainsi considéré tant du point de vue du curriculum caché (Snyder, 1971 ; Jackson, 1968) ou du curriculum formel et moral (Musgrave, 1978) que du point de vue du curriculum réel (Eggleston, 1979) et non pas uniquement du point de vue du curriculum formel, point de vue plus classique. Cet éclairage spécifique de la scène scolaire prend en compte — à part égale — chacun des partenaires et entraîne un rééquilibrage en faveur du poids des élèves, nettement renforcé.

Si certaines recherches présentées ici se rattachent très directement aux problématiques classiques du débat sociologique en matière d'éducation, telles que l'inégalité des chances ou la constitution de l'identité sexuelle, d'autres se situent à l'intersection de différentes disciplines des sciences humaines traitant de l'éducation : psychologie, psychologie sociale ou linguistique. Or précisément, reconnaître un des apports de l'interactionnisme symbolique dans le champ de l'éducation n'est-ce pas d'une part permettre le dialogue interdisciplinaire (si rare dans la sociologie française) et d'autre part éviter cette psychologie de sens commun que tout sociologue utilise sans se l'avouer ?

D | L'APPORT DE L'ANTHROPOLOGIE AMÉRICAINE : LA DISSECTION DE LA FAMILIARITÉ

L'anthropologie américaine s'est intéressée depuis les années 50 à l'éducation, non plus seulement en l'étudiant en terrain exotique, mais sur place aux Etats-Unis, puis dans les années 70 elle s'est tournée vers l'institution scolaire (Ogbu). Dans ce double déplacement de l'exotisme vers le familier, selon la formule de Spindler, de la famille vers les institutions de scolarisation formelle, la classe est apparue à certains anthropologues comme l'objet d'étude par excellence. Sans être exhaustif, on peut citer à partir des ouvrages de Rist, *The Urban School : a Factory for Failure* (1973), Smith et Geoffrey, *The Complexities of an Urban Classroom* (1968), Metz, *Corridor and Classrooms* (1978), les travaux pêle-mêle de Bullivant, Wilcox, Erikson, Mc Dermott, Gearing, Heath, Phillips. Les ouvrages successifs publiés sous la direction de Spindler, et plus particulièrement le dernier : *Doing the Ethnography of Schooling* (1982), présente un certain nombre de ces travaux.

L'analyse du processus de scolarisation à l'intérieur de la classe permet en effet, d'une part, la mise en œuvre de problématiques et de concepts déjà longuement travaillés en anthropologie et plus spécifiquement par le courant culturaliste telles qu'acculturation, socialisation différentielle, discontinuité culturelle et, d'autre part, l'utilisation de méthodologies de terrain largement rodées telles que l'observation participante, les interviews non directives, les histoires de vie, etc.

Disons-le d'emblée, l'anthropologie de l'éducation américaine, parce qu'elle est une discipline fortement structurée sur le plan académique, avec ses congrès, ses publications (et surtout sa revue *Anthropology and Education Quarterly*), prend sur ce sujet la place qu'occupe en Angleterre la sociologie interactionniste. Ainsi, dans ce champ de recherche qu'est la classe, occupé principalement jusque-là, suivant les termes de Gage, par le paradigme « processus-produit » — dont entre autres Simon et Boyer dans *Mirrors for Behavior* (1967) et Medley et Mitzel dans le recueil *Handbook of Research on Teaching* publié par Gage (1963) présentent la pharmacoppée et ses principes d'utilisation —, va s'opposer le paradigme « ethnographique ». Celui-ci supplantant en même temps les travaux de psychologie sociale portant sur les phénomènes de groupe appliqués à la classe (à la suite des études de Lewin, Lippitt and White, 1947, tels ceux de Bales, 1953, et Bany et Johnson, 1964 ; Morrison et McIntyre, 1969, cf. article de J.-C. Filloux, *op. cit.*).

Situer cette évolution en termes de rupture paradigmatique, comme le fait Gage, peut paraître excessif car si l'ensemble des travaux portant sur la classe, compris sous l'étiquette ethnographique, implique une approche commune, les racines conceptuelles en sont relativement diverses. Elles sont issues tant de l'anthropologie que de la sociolinguistique et plus précisément de l'ethnographie de la communication que de l'ethnométhodologie ou de l'interactionnisme symbolique, sans oublier le cadre théorique de la sociologie structuro-fonctionnaliste américaine.

Pour résumer brièvement, on peut dire que cette approche de la classe s'oppose tout autant à cette conception implicite (que Delamont qualifie de recherche empirique sans âme) d'un certain nombre de psychologues travaillant dans le champ éducatif, qui présupposent que les êtres humains sont faits pour apprendre plus, mieux et plus vite (Wax et Wax) qu'aux conceptions de certains chercheurs et ethnologues qui n'identifiant les élèves qu'en termes de caractéristiques sociales, ethniques ou religieuses, les considèrent comme des atomes sociaux (Ogbu). Aussi, ces recherches ont-elles en commun de se centrer sur l'interaction face à face afin de décrire et comprendre l'organisation sociale de la classe ainsi que la relation adulte-enfant à l'intérieur et à l'extérieur du cadre scolaire, à partir de la perspective des acteurs. De plus, elles considèrent la classe comme un microcosme de la société globale dans laquelle l'école est située et où les caractéristiques de la société sont recréées dans l'interaction quotidienne.

L'utilisation de l'ethnographie comme science de la description culturelle met alors le chercheur en position d'observer les comportements dans leur cadre naturel, et d'obtenir des personnes observées les structures de signification qui rendent compréhensible la trame d'un comportement. La pratique de l'ethnographie permet ainsi de découvrir le savoir culturel possédé par les individus en tant qu'indigènes, aussi bien que les moyens par lesquels ce savoir culturel est utilisé dans l'interaction sociale.

Les processus d'investigation utilisés dans la classe devront alors, si l'on suit K. Wilcox dans son article *Ethnography as a methodology and its application to the study of schooling* (1982), suivre les principes suivants : — explorer la situation telle qu'elle est vécue et construite par les participants ; — rendre le familier étrange, en notant tout ce qui est considéré comme évident ; — analyser la relation entre la situation de la classe et son contexte ; — ne construire les hypothèses et les instruments d'observation qu'à partir du terrain ; — interpréter les faits observés dans le cadre des théories anthropologiques. On doit ainsi aboutir à une description exhaustive qui doit capturer les détails concrets de la vie quotidienne de la classe, tant au niveau des routines que des incidents clés. L'incident clé étant défini ainsi par Erickson : « cela implique de tirer de son carnet de terrain un incident clé, de le relier à d'autres incidents, phénomènes, et constructions théoriques, et de l'interpréter de façon à ce que les autres puissent voir le général dans le particulier, l'universel dans le concret, la relation entre la partie et le tout ». *Strawberries* de R. Walker et C. Adelman illustre parfaitement cette approche.

La classe va ainsi cristalliser l'intérêt de chercheurs issus de disciplines bien différentes mais utilisant cette approche ethnographique. A cet égard, les proximités entre sociolinguistes et anthropologues sont telles que participent et président aux destinés de la revue *Anthropology and Education Quarterly* Cazden et Hymes. Parties prenantes dans cette approche mais ancrée très spécifiquement dans la linguistique et l'ethnologie, Gumperz et Hymes fonderont un courant spécifique, l'ethnographie de la communication à partir de la publication de l'ouvrage *Directions in Sociolinguistics : the Ethnography of Communication* (1972). Ils s'attachent à analyser le langage non pas tel qu'il se constitue, mais tel qu'il est utilisé dans les situations naturelles, ainsi utiliseront-ils une conceptualisation issue de ces deux disciplines dans leur approche de la classe. On peut en trouver des illustrations dans l'ouvrage publié par Cazden, John et Hymes : *Functions of Language in the Classrooms* (1972), et dans le compte rendu d'un colloque édité par Gilmore et Glathorn : *Children in and out of school : ethnography and education* (1982).

« L'accent porté sur les interactions dans un petit groupe, sur la dimension cachée comme forme d'une culture tacite, sur la socialisation aux rôles, l'utilisation de marqueurs linguistiques, sont clairement interdisciplinaires », proclame Spindler, ce qui apparaît clairement dans les travaux et références cités tout au long de son ouvrage *Doing the Ethnography of Schooling* par les différents auteurs. A titre d'exemple, un autre travail comme celui de McDermott : *Kids Make Sense : an ethnographic account of the interactional management of success and failure in one firts-grade classroom* (1976), portant sur l'apprentissage de la lecture et démontrant que l'échec en lecture est un résultat rationnel des patterns d'interaction et d'enseignement générés par l'organisation sociale de la classe, fait référence et utilise autant des travaux d'anthropologie, de sociolinguistique, de sociologie, d'ethnométhodologie que les travaux issus de l'école de Palo Alto tels que la kinésique ou la proxémique autour de la « Nouvelle Communication ».

Cependant, parmi ces études on peut distinguer deux grandes problématiques, comme le fait K. Wilcox :

— La scolarisation comme instrument de transmission culturelle : les chercheurs se focalisent alors non pas seulement sur les curriculum académiques mais aussi et surtout sur ce qui est appelé le « curriculum caché », c'est-à-dire sur tout ce qui est enseigné implicitement plutôt qu'explicitement. Il s'agit alors d'analyser la transmission d'un ensemble de capacités, de valeurs, de stratégies, de motivations, d'images de soi, de modes de relation aux pairs et aux autorités. Ces études, partant des théories structuro-fonctionnalistes, analysent ce qui se passe à l'intérieur de la classe en tant que reflet de la société. Ainsi, par exemple, Gearing et Epstein dans *Learning to Wait* (1982), montrent-ils, à partir de l'étude d'un groupe de lecture comprenant quatre enfants et un instituteur, comment l'attitude d'apprendre à attendre est un mode de conduite culturelle que les enfants amènent avec eux en classe, et qu'ils projettent dans les activités et comportements impliqués dans l'apprentissage de la lecture.

— L'exploration des conflits culturels dans la classe : ici la classe est considérée comme l'arène d'un conflit culturel dans laquelle des incompréhensions mutuelles provoquent des difficultés d'apprentissage. Erickson et Mohatt, reprenant l'étude de Philipps (1972) dans *Cultural organization of participation structures in two classrooms on Indian students* (1982), montrent par la comparaison des modes d'interaction entre un maître (soit blanc, soit indien) face à des Indiens Odawa et Ojibawa combien les règles interactionnelles diffèrent suivant les cultures, ce qui pose bien le problème de l'établissement d'une congruence culturelle dans la culture implicite d'une classe.

Ainsi, passant d'un intérêt porté essentiellement aux problèmes du biculturalisme et du bilinguisme, l'anthropologie américaine s'intéresse-t-elle de plus en plus aux phénomènes qui, à l'intérieur de la classe, créent et maintiennent les inégalités sociales. Il ne s'agit plus de saisir « le pourquoi » mais « le comment » (Spindler).

Que tirer de ce véritable *melting pot* qu'est l'anthropologie américaine de la classe, dont certains ont pu dire qu'elle était dans un désordre enthousiaste (Smith) ? Si la tête tourne parfois devant les références utilisées et les paradigmes interprétatifs, c'est

certainement dans cet ensemble de recherches qu'ont été poussées
les tentatives d'interprétation les plus fines et les plus ambitieuses
d'une situation sociale telle que la classe.

Mais la question reste posée, y a-t-il une véritable rupture ou
une relative continuité entre la tradition des grilles d'observation
behavioristes et ces approches anthropologiques ? Bien que
totalement déniée par bien des ethnographes (Delamont et
Hamilton, 1984), une certaine continuité semble apparaître :
nombre d'études anthropologiques utilisent des moyens
d'investigation tels que les enregistrements vidéo, des grilles
d'analyse bâties à partir d'indicateurs extrêmement précis ; si
effectivement ces outils sont en partie construits sur le terrain, ils
mettent en œuvre des hypothèses dont la consistance théorique ne
semble pas simplement relever d'une reécriture *a posteriori* mais
bien souvent d'un « flair » dû à une solide culture anthropologique.
Si rupture il y a, elle semble se situer beaucoup plus au niveau des
choix théoriques faits dans l'interprétation des données recueillies
qui s'oppose alors nettement au paradigme behavioriste en mettant
au centre de l'analyse le sens que les acteurs attribuent à l'action,
et au niveau de l'ambition constante, bien que rarement atteinte,
d'une contextualisation de l'analyse dans une perspective holistique.

E | LE COURANT ETHNOMÉTHODOLOGIQUE : L'ESPOIR DÉÇU D'UN EXERCICE DE STYLE

A partir des travaux de Garfinkel (1967), Sacks (1970), Cicourel
(1968), les ethnométhodologues se sont intéressés à la situation
scolaire. *Language Use and School Performance* (1974), publié par
Cicourel, Leïter et Mehan, et l'ouvrage de Mehan, *Learning
Lessons* (1979), marquent la constitution de cette approche
spécifique. Postulant que les structures sociales sont des
accomplissements interactionnels, l'étude de Mehan analyse
l'organisation sociale de la classe, l'objectif de l'ethnographie
constitutive (courant interne à l'ethnométhodologie, dont Mehan
se veut le fondateur) étant de produire une « grammaire » qui
rende compte de la structure des événements sociaux.

Car pour les ethnométhodologues, « la structure et les
phénomènes de structuration sont mis sur un pied d'égalité en
montrant comment les faits sociaux du monde social émergent

du travail de structuration, pour devenir externes et contraignants comme une partie du monde qui est à la fois de notre fabrication et au-delà de notre fabrication » (Mehan et Woods, 1975).

Il s'agit donc d'une analyse ethnométhodologique des règles tacites de l'organisation sociale à l'intérieur de la classe, et d'une description de la routine et des événements de la vie quotidienne. Sont alors reconstitués, d'une part, le répertoire des procédures par lesquelles l'enseignant maintient l'ordre dans la classe (celui-ci résultant de la combinaison de stratégies d'improvisation et de procédures de distribution de la parole), et, d'autre part, parallèlement, l'acquisition de la compétence interactionnelle par les élèves dans la classe.

En effet, les règles de fonctionnement de la classe étant communiquées tacitement et implicitement, les élèves sont constamment engagés dans un travail interprétatif actif qui leur permet une participation compétente, c'est-à-dire, d'être un « membre » compétent de la classe.

Car pour réussir, l'élève doit produire des contenus académiquement corrects dans la forme interactionnelle appropriée.

On voit ici, dans le champ éducatif, l'utilisation du concept de « membre » cher aux ethnométhodologues. Sont membres ceux qui possèdent un stock de savoir de sens commun à propos du monde social et une compétence commune dans l'application de ce savoir (Payne, 1976). Ceux-ci peuvent alors produire des discours et des activités raisonnables et sensibles qui sont considérés comme évidents, *taken for granted*.

La « synchronisation mutuelle des comportements » à l'intérieur d'une classe devient certes un phénomène appréhendable, à travers cette dissection soigneuse que nous proposent les ethnométhodologues, mais qu'en faire ? Car on oscille ici entre une conceptualisation sophistiquée de l'organisation des règles du jeu et une grande banalité et platitude dans l'énoncé de ces règles. Certes, il s'agit de produire des connaissances que les participants possèdent déjà, mais n'ont peut-être pas pu formuler ; la surprise n'est pas un critère de valeur de la recherche — répond à l'avance Mehan. Cependant, la démonstration que l'interaction sociale est constamment une activité créative (Cicourel), et ici plus spécifiquement dans la classe, incite à reprendre bien des analyses du contrat pédagogique. Non pas en se bornant à l'analyse des cinq premières minutes d'une leçon, comme le fait Payne (*Making a*

Lesson Happen : an Ethnomethodological Analysis (1976), ce qui s'apparente quelque peu à un exercice de rhétorique, mais en s'intéressant à la mise en place du contrat tel que l'analyse Hamilton (*First Day at School*, 1984) dans son observation des dix premiers jours d'une classe de petite section de maternelle.

Mais la totale décontextualisation de ces analyses leur donne l'apparence d'un exercice de style assez formel, car les analyses ethnométhodologiques semblent se situer dans un vide social, où rapports de force et de pouvoir donnent l'impression d'être oubliés.

Nombre d'auteurs, entre autres des néo-marxistes, le reprocheront avec vigueur aux ethnométhodologies. Cependant, cette approche semble susciter un véritable engouement théorique, à défaut d'études empiriques, parmi certains départements de Sciences de l'Education parisiens, si l'on en croit de très récentes publications (*Pratiques de formation*, 1986 ; *Quel corps ?*, 1986).

F | LA CONSTITUTION D'UNE APPROCHE MICROSOCIOLOGIQUE DANS LE CHAMP FRANÇAIS

Dans les années 80, avec un décalage d'une dizaine d'années, faut-il le rappeler, par rapport à la sociologie anglaise et américaine, commencent à apparaître dans le champ de la sociologie française des études fondées en partie ou complètement sur des approches ethnographiques prenant comme objet d'analyse la classe.

Cependant, le champ français se structure de manière spécifique. Qu'en est-il actuellement de l'objet même ? Signe de cette évolution, la classe apparaît comme objet clairement défini dans le « Que sais-je ? » de M. Cherkaoui : *Sociologie de l'éducation* qui vient de paraître en 1986.

Celui-ci semble considérer la classe comme un élément indispensable d'une sociologie des enseignants, en tant que situation dans laquelle s'exerce leur profession, l'analyse de la classe permet de mieux comprendre comment l'enseignant se situe comme agent de contrôle social, et donc comment il exerce son pouvoir dans la classe.

A l'opposé, pourrait-on dire, de cette position, l'ouvrage de P. Perrenoud (1984), *La fabrication de l'excellence scolaire*, essaye lui aussi de saisir ce qui se joue dans la situation scolaire, afin de décrire et de comprendre l'organisation scolaire et les pratiques scolaires telles qu'elles sont, afin de mieux saisir les médiations par lesquelles l'école transforme les différences en inégalités.

Ainsi, ces différents travaux, reconstituent-ils l'apprentissage du métier d'élève, en analysant les stratégies mises en place pour « faire face » à la situation. Que ce soit au niveau de l'acquisition « du curriculum réel » ou de la construction d'un système de relations scolaires et sociales entre pairs, tel que l'explore G. Dannepond (1985) à travers la distribution des enfants dans l'espace de la classe.

Ecartant « les figures obligées du discours sociologique », selon l'expression de P. Perrenoud, certains sociologues de langue française s'intéressent à des conceptualisations qui, bien qu'ayant presque toujours en arrière plan des préoccupations d'ordre macrosociologiques et plus spécifiquement, la démocratisation de l'enseignement les écarte momentanément.

Parallèlement à ces analyses des interactions scolaires, apparaît aussi une tentative de théorisation sociologique de la sphère pédagogique et plus spécialement des pratiques pédagogiques.

La scène pédagogique avait été, rappelons-le, secouée par une polémique autour des ouvrages de G. Snyders, *Où vont les pédagogies non directives ?* ; *Ecole, classe, luttes de classe* (1975). Discutant nombre de travaux pédagogiques et sociologiques (entre autres Neill, Rogers, Bourdieu, Bandelot, Illitch...), certes sans la moindre démonstration empirique, et de manière très caustique, celui-ci avait cependant fortement interpellé les sociologues quant à leurs capacités de théoriser opérationnellement la pratique pédagogique sans tomber dans un déterminisme sociologique particulièrement démobilisateur à l'égard des enseignants.

Aussi, considérant les enseignants non plus simplement comme des agents mais aussi comme des acteurs, certains travaux du Groupe de Sociologie de l'Education de Paris V tentent d'analyser leur marge d'autonomie (V. Isambert-Jamati, E. Plaisance, R. Sirota, in *L'échec scolaire. Nouveaux débats, nouvelles approches sociologiques*, 1987).

Dans cette perspective, V. Isambert-Jamati et M.-F. Grospiron (1986) travaillent sur les décalages entre normes, pratiques et effets objectivement constatés, essayent de conceptualiser les pratiques pédagogiques à propos du « travail autonome » autour de typologies (telles que modernistes, libertaire, classique, critique).

Il s'agit alors de considérer les pratiques pédagogiques comme la concrétisation d'un rapport social, qui peut être saisi à travers ses variations.

« Si des facteurs antérieurs à l'école étaient entièrement déterminants, la distribution des notes serait semblable quelle que soit la pédagogie pratiquée ; or, nos données présentent des variations importantes qui semblent pouvoir être interprétées grâce aux options pratiques des enseignants. » De même, à propos de la culture technique à l'école (V. Isambert-Jamati, *Culture technique et critique sociale à l'école élémentaire*, 1984), sera menée une analyse des activités pédagogiques en fonction des caractéristiques sociales des élèves constituant la classe. E. Plaisance, lui, considérera l'évolution des modèles pédagogiques sous-jacents aux pratiques des enseignants de l'école maternelle (E. Plaisance, *L'enfant, la maternelle et la société*, 1986).

Dans la même lignée se situent les travaux de L. Demailly (1984) sur la production sociale des pratiques pédagogiques dans l'enseignement du français (elle distingue les libertaires classiques, les libéraux, les défenseurs des normes, les pédagogues militants, les intellectuels modernes, les porteurs de la tradition républicaine).

Dans une perspective théorique différente, ancrée à la fois dans l'interactionnisme symbolique et dans la problématique des « investissements de forme », J.-L. Derouet (1986) s'attache à construire un modèle théorique rendant compte de l'orientation industrielle de la pédagogie à partir d'un dispositif d'observation portant sur la rénovation des collèges en France.

Dans un tout autre contexte, celui des lycées d'enseignement technique, A. Poloni (1984) analyse la pratique d'un corps professionnel précis, « les ouvriers-enseignants », afin de saisir comment la socialisation opérée à partir d'une pratique pédagogique est à la fois processus d'appropriation et de privatisation des savoirs.

P. Perrenoud (1983), lui, tente de conceptualiser cette pratique pédagogique à partir des demi-mesures, hésitations, compromis instables qui fondent « le bricolage pédagogique » et « l'improvisation réglée » de la pratique enseignante.

Ainsi voit-on apparaître dans le champ de la sociologie de l'éducation de langue française des tentatives d'analyse et de théorisation des pratiques pédagogiques, en d'autres termes, « des manières de faire la classe ». Saisissant ces pratiques, soit indirectement soit à partir de la démarche ethnographique, elles utilisent et dialectisent un certain nombre de concepts issus à la fois des approches interprétatives tels que situation, négociation, improvisation réglée, routine, stratégie, curriculum caché et réel et des théories de la reproduction. La conjugaison de ces modes d'approche permettrait-elle une redécouverte par la sociologie de l'éducation française de cet objet empirique ?

Devant la myriade d'études que nous venons d'évoquer, on peut véritablement s'interroger : cette constellation éparse fait-elle avancer la connaissance de ce qui se joue à l'intérieur de la classe ?

Certes, nous dit Gage (1986) dans un hommage à G. de Landsheere : « Les ethnographes, c'est indéniable, ont plongé plus avant dans le processus d'enseignement, et avec plus de finesse, plus de sophistication qu'aucun de leurs prédécesseurs. Il suffit de comparer un compte rendu ethnographique avec les résultats obtenus grâce à la grille de Flanders pour apercevoir combien l'observation en classe a progressé depuis un quart de siècle. »

Mais cette plongée dans les profondeurs de l'interaction, ces tentatives de conceptualisation de l'infiniment petit, ont bien souvent pour contrepartie une totale décontextualisation de l'analyse. Si la sociolinguistique a pu jouer de manière générale un rôle charnière dans la définition à géométrie variable de cet objet qu'est la classe, ce sont dans la littérature anglaise et américaine les approches interprétatives qui ont amené à une approche ethnographique, alors que dans la sociologie française elle résulte plus directement d'une sociologie de la reproduction dont elle confronte la conceptualisation. Peut-on s'en tenir à l'ambition de la description d'un répertoire, ou d'un inventaire ? L'ethnographie de la classe nous interpelle très fortement quant à la possibilité de dépasser la description de ce statu-quo dont parle Cazden, pour tenter une reconceptualisation du microsociologique articulée au macrosociologique. S'il ne peut y avoir un seul mode d'approche ethnographique de la classe, la pluralité des paradigmes proposés laisse ouvert le problème de leur recombinaison, la réorganisation de ce puzzle qu'est la classe ne peut passer par une simple accumulation de descriptions, ou une juxtaposition de paradigmes sur un mode additif.

CHAPITRE II

Méthodologie, présentation de la grille et enquête

A | LES DEUX RÉSEAUX DE COMMUNICATION

Nous sommes partis de l'hypothèse suivante :

A l'intérieur du jeu de l'égalité formelle entre les élèves face au maître, le discours du maître et son comportement ne produisent-ils pas un arbitraire culturel ou norme, à partir de laquelle chacun se définit à l'intérieur de la classe ? Ce processus semble avoir comme base un mécanisme de valorisation ou dévalorisation du discours et des comportements des élèves, car les élèves se retrouvent comparés, différenciés, hiérarchisés, par rapport à cette norme implicite et sous-jacente au fonctionnement de la classe.

Dans un tel schéma, ce n'est pas le même jeu qui se jouerait avec l'ensemble de la classe. On peut en effet distinguer deux réseaux de communication :

— un réseau de communication principal, qui ne concerne qu'une partie de la classe, où des élèves sont effectivement *sujets* d'une communication, car ils participent en étant intéressés, valorisés et ont des choses à dire, car la situation d'apprentissage proposée fait sens pour eux ;

— un réseau de communication parallèle qui concerne l'autre partie de la classe. Ces élèves sont dans une position extérieure au réseau de communication principal, dans la mesure où ils ne sont ni intéressés, ni valorisés, ni partie prenante et développent donc des conduites d'illégalisme scolaire ou d'apathie.

Ces deux réseaux peuvent se traduire dans le schéma suivant :

TABLEAU 1. — *Les deux réseaux de communication*

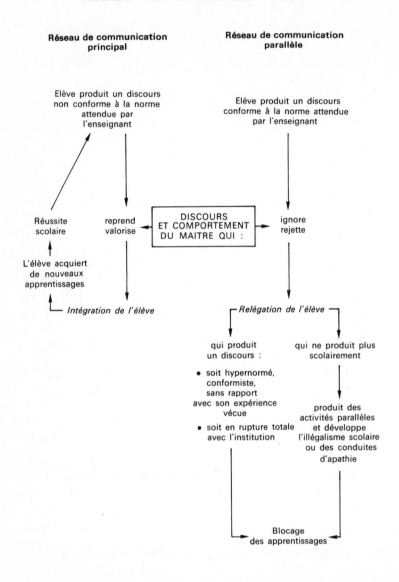

B | PRÉSENTATION
DE LA GRILLE D'OBSERVATION

1 / LA CONSTITUTION D'UNE GRILLE D'OBSERVATION
DANS UNE PERSPECTIVE SOCIOLOGIQUE

Travailler sur les pratiques pédagogiques quotidiennes des enseignants pose immédiatement le problème de la saisie de cette pratique concrète, le problème de son observation.

Observer, c'est déjà structurer sa perception en fonction de critères plus ou moins bien établis. Observer des pratiques dans la situation concrète de la classe, c'est observer en direct, c'est coder sur-le-champ une situation dynamique (situation aussi complexe que stéréotypée d'ailleurs).

Comment peut-on alors constituer la pratique pédagogique comme « objet » d'une observation sociologique ?

Il existe déjà de nombreuses grilles d'observation des situations pédagogiques. Mais la plupart d'entre elles, comme nous l'avons vu dans le chapitre précédent, ont été élaborées dans le cadre des théories behavioristes de l'apprentissage ; la catégorisation s'y fait en termes de « stimulus-réponse » dans une perspective strictement expérimentaliste où le comportement du professeur est un indicateur déterminant et dominant des apprentissages en classe[1].

Ce modèle sous-jacent de la pratique pédagogique rend difficile l'utilisation des grilles existantes dans une perspective sociologique, car réduire le rapport de communication pédagogique à un pur et simple rapport de communication, c'est interdire de comprendre les conditions sociales de son efficacité.

C'est pourquoi nous avons construit une grille autour de dimensions qui nous semblent essentielles.

1 / La situation pédagogique ne peut être considérée comme neutre et indépendante du contexte social dans lequel elle s'inscrit.

2 / Les élèves ne peuvent être considérés comme une entité indifférenciée : ils doivent être identifiés précisément (chaque locuteur doit être repéré et caractérisé socialement) et leurs différents types de comportement repérés.

---

1. A l'exception de quelques grilles qui, comme celle de « Perkins », observant les dysfonctionnements du système scolaire, reposent sur les comportements des élèves.

3 / Les interactions verbales ne peuvent être analysées indépendamment du contenu communiqué et plus précisément des référents culturels et institutionnels.

Ces dimensions ont été transcrites en termes d'indicateurs nous permettant de coder instantanément, pendant le déroulement de la classe, le comportement de la maîtresse[2] et des élèves.

2 / LE RÉSEAU PRINCIPAL DE COMMUNICATION

Afin de déterminer comment se situe le réseau principal de communication, nous avons précisément distingué et analysé le mode d'intervention des élèves.

Dans l'infiniment petit du mode de prise de parole, s'exprime la relation à la pratique scolaire, que déterminent à la fois l'interaction scolaire quotidienne et l'ensemble des pratiques de chaque individu[3].

Nos indicateurs traduisant les conditions de l'interaction nous permettront de saisir comment les élèves à la fois se situent et sont situés dans l'interaction scolaire, car la prise de parole dans le cadre scolaire est un véritable enjeu.

L'irruption de la parole des élèves semble un événement très réglementé, ritualisé à l'intérieur du cadre scolaire, l'analyse du mode de constitution du réseau principal de communication permettra de comprendre comment s'instaure cette norme. Comment fonctionne-t-elle ? A travers quel biais, quelle distorsion, ou, au contraire, quelle hypernormalité[4] des différences apparaissent-elles ? Se médiatisent-elles ?

Nous avons ainsi observé et relevé les prises de parole avec une notation à trois dimensions :

a / la nature de l'intervention ;
b / l'intensité de la demande d'intervention ;
c / l'intégration de l'intervention dans le réseau principal de communication.

---

2. Bien que nous ayons observé six maîtresses et un maître, nous emploierons indifféremment dans le texte les termes de maître, maîtresse ou enseignant.
3. T. Todorov, Problèmes de l'énonciation, in *Langages*, n° 17, mars 1970, Larousse.
4. F. François et coll., Conduites langagières et sociolinguistique scolaire, in *Langages*, n° 59, sept. 1980.

a - La nature de l'intervention

— *Les demandes d'interventions simples :* symbolisées par le signe I.

Cet indicateur représente un indice élémentaire de participation à l'activité de la classe, qu'il s'agisse d'un doigt levé pour répondre à une question posée par l'enseignant, ou d'une réponse « chorale » à haute voix. Indice d'une stricte adaptation à la norme explicite du mode de prise de parole : « Vous levez la main, pour demander l'autorisation de prendre la parole », ce comportement parfaitement codé nous permettra de savoir qui participe, se propose de répondre, tout en nous demandant si ce mode de participation suffit pour être repris dans le réseau principal de communication.

— *Les interventions spontanées :* symbolisées par le signe Is.

Sans que le maître ait posé de questions, l'élève intervient « spontanément », c'est-à-dire de lui-même, de sa propre initiative, dans le cours de la communication principale.

Ce mode d'intervention représentant le degré le plus intime de participation au cours de la classe, l'intervention ne passe pas par une demande, ni simple, ni insistante : l'élève s'autorise lui-même à prendre la parole à haute voix. Il y a donc anticipation positive de la réaction de la maîtresse ou même de la demande ou de la question de la maîtresse.

Nous employons ici le terme de « spontané » dans son acception courante « que l'on fait soi-même, sans être incité ni contraint par autrui[5], nous réservant de discuter du sens pédagogique et social de cette notion : qui dans la classe peut utiliser, ou se laisser aller à ce type de comportement faisant appel à un mode dit instinctif et naturel, comment l'élève se situe-t-il par rapport à la norme ? Comment l'enseignant tolère-t-il ce type d'initiative ?

— *Les interventions « hors du contexte » :* symbolisées par le signe ⅄.

Ces interventions se situent « en rupture », « en dehors du contexte » direct de la communication principale.

Elles peuvent signifier deux choses :

- Soit que l'élève intervienne sur un sujet à la fois proche et

---

5. Dictionnaire *Petit Robert*, 1973.

lointain du sujet traité dans la mesure où il correspond à une
« association libre » de l'élève, dont l'intérêt pour le sujet principal
a rebondi sur telle ou telle expérience. Cette intervention est alors
l'indice d'une intense participation tant par le cheminement qui est
suscité, que par l'expression publique de ce cheminement.

- Ou bien elle marque la non-compréhension de la consigne de
l'enseignant, l'élève essayant de répondre bien que manquant de
repères, soit par inattention, soit par difficulté d'adaptation.

Ce comportement peut donc avoir des significations et être
interprété assez contradictoirement, bien que notre hypothèse de
départ aille plutôt dans le sens d'une « entrée ratée » dans le
réseau principal, indice d'une mauvaise adaptation à la norme
scolaire.

— *Les interventions provoquées* : symbolisées par le signe Ip.

Elles représentent les interventions que l'enseignant provoque
non pas simplement en posant une question, mais en interpellant
nominalement, précisément tel ou tel élève (elles seront donc
attribuées à l'élève en question). L'objectif de cette initiative du
maître peut être très différent : l'individualisation et la
personnalisation du questionnement peuvent être destinés :

— soit à tenter d'intégrer dans le réseau principal des élèves qui
  parlent et participent peu facilement ;
— soit à rappeler à l'ordre tel ou tel élève visiblement occupé à
  faire autre chose, d'après l'enseignant (l'interpellation est alors,
  en fait, beaucoup plus d'ordre disciplinaire et destinée à
  stimuler l'attention de l'élève).

— *Ardoise :* symbolisée par le signe A.

Nous avons été amenés à rajouter cet indicateur, certains
enseignants faisant travailler leurs élèves à l'aide d'une ardoise :
L'enseignant pose une question, les élèves inscrivent la réponse sur
une ardoise, et à un signal donné ceux qui ont répondu lèvent leur
ardoise.

Dans nos décomptes, nous l'avons séparé puis considéré comme
une simple demande d'intervention, en réponse à une question,
proche des interventions dites chorales, dans la mesure où elle
marque la participation et la compréhension de l'activité proposée
par le maître.

b - L'intensité de la demande d'intervention : symbolisée par le signe $=$.

Les différents types d'interventions que nous avons distingués précédemment peuvent être exprimés plus ou moins intensément et ce, aussi bien verbalement que sur un mode non verbal[6]. Ainsi, à travers l'expression, « Moi, moi, M'dame » d'un élève tendant désespérément le doigt au ciel, se manifeste une sorte de surenchère quant à la norme de participation à la classe. L'élève s'autorise, sans s'autoriser tout en s'autorisant, à la différence de l'intervention spontanée qui, elle, surgit sans frein. Cet appel direct vers la maîtresse marque l'intérêt, la nécessité de la participation d'un élève désirant qu'à la fois le contenu de sa réponse et sa personne même soient remarqués et reconnus par la maîtresse.

Mais cet appel, dans son intensité, est-il efficace, permet-il de rentrer dans le réseau principal, indique-t-il une bonne maîtrise de la situation ou, au contraire, signifie-t-il un appel désespéré ?

c - L'intégration de la demande d'intervention dans le réseau
principal de communication :

— *Les reprises :* symbolisées par le signe ①.

La reprise de l'intervention marque l'introduction de la prise de parole dans le cours de la communication principale, dans la mesure où la maîtresse donne précisément la parole à cet élève-là, en écoutant sa réponse simplement ou en lui répondant.

L'enseignant reprend dans son propre discours le contenu de l'intervention. Bref, celle-ci fait partie du dialogue principal, et pour le maître et pour l'ensemble de la classe, elle est donc intégrée (positivement ou négativement) au réseau principal.

Il est intéressant de savoir quels sont les élèves qui sont plus ou moins bien intégrés à ce réseau, et quel mode d'intervention s'intègre le plus facilement : les demandes d'interventions simples, insistantes ou spontanées.

A travers le mode de constitution du réseau principal de communication, nous verrons apparaître la norme scolaire véhiculée

6. A.-J. Greimas, Pratiques et langages gestuels, in *Langages*, n° 10, 1968 ; C. Pujade-Renault, D. Zimmerman, *Voies non verbales de la relation pédagogique*, Ed. esf, 1976.

par les enseignants, telle qu'ils la pratiquent dans l'interaction scolaire, et inversement, nous situerons les élèves par rapport à celle-ci.

— *Lecture, Tableau :* symbolisés respectivement par L, T.

Nous avons ainsi distingué les élèves qui sont choisis par l'enseignant pour lire un passage ou faire un exercice au tableau, il s'agit ainsi souvent d'interventions plus longues et plus structurées, l'élève effectuant un véritable exercice en classe sous la conduite de l'enseignant. Il s'agit donc d'une forte intégration au réseau principal de la part de l'enseignant, dont il est fort intéressant de voir qui elle touche spécifiquement dans la classe[7].

Ces trois dimensions (nature, intensité, reprise) peuvent se combiner entre elles, ce qui donnera la situation suivante :

— Un élève lève la main pour demander à intervenir, l'observateur code I.
— L'élève se met à dire « Moi, moi, M'dame », l'observateur rajoute le signe = sous le I en question ce qui donne $\underline{I}$.
— La maîtresse interroge précisément cet élève, qui prend donc la parole, l'observateur entoure la demande du signe ◯ ce qui donne, toujours pour la même demande, (Ⓘ), soit pour cet élève une demande intervention insistante et reprise.

Différents regroupements peuvent donc être faits au niveau de l'analyse, suivant la dimension sur laquelle on veut travailler.

Par exemple : on peut regrouper toutes les demandes d'intervention qui sont reprises, quelle que soit leur nature, puis distinguer les demandes d'interventions insistantes reprises pour analyser l'efficacité de ce mode d'intervention...

3 / LE RÉSEAU PARALLÈLE DE COMMUNICATION

Alternative au réseau principal de communication, le réseau parallèle regroupe les comportements verbaux et non-verbaux qui suppléent, relaient ou remplacent celui-ci. Clandestins ou illégitimes, ils essaient en partie de se dissimuler au regard de l'enseignant, car dans l'ordre de la classe « nul détail n'est indifférent, mais moins par le sens propre qui s'y cache que par la prise qu'y trouve le pouvoir qui veut le saisir[8]...

7. Nous n'avons pu, par la suite, les analyser séparément car leurs occurrences étaient beaucoup trop faibles.
8. M. Foucault, *Surveiller et punir*, Gallimard, 1975.

Ces comportements peuvent aussi bien exprimer des tentatives de rapprochement, de repli ou bien encore d'opposition au réseau principal de communication.

a - Les indicateurs retenus :

— *Le déplacement :* symbolisé par le signe ⊾.
Un certain nombre d'élèves se déplacent pendant la classe, certains pour s'approcher de la maîtresse (⊾ m), d'autres pour aller voir un camarade, chercher quelque chose situé à l'autre bout de la classe, ou simplement bouger (⊾).
Cet indicateur peut être considéré soit comme un indice de l'appropriation de l'espace scolaire, ou bien, à l'inverse, comme un indice du caractère insupportable du cadre scolaire compris dans les deux sens : physique (cadre géographique, architectural de la classe) et disciplinaire (cadre, carcan de la discipline scolaire où il faut être assis sagement derrière sa table, la seule forme d'expression autorisée étant la parole après avoir demandé l'autorisation, ou l'écriture, forme très policée de dialogue et d'expression passant par un code très précis, qu'il s'agit bien d'apprendre).
Les déplacements vers la maîtresse ont été distingués, l'hypothèse étant qu'ils exprimeraient, eux, une tentative de rapprochement avec la maîtresse, donc la recherche d'une relation plus proche, plus étroite des élèves effectuant ces déplacements vers la maîtresse, dans le but d'obtenir un éclaircissement des consignes d'exercice données par l'enseignant.

— *Les décrochages :* symbolisés par les signes ↚, 𝒞 .
Nous avons ici regroupé deux symboles, le croissant de lune représentant les élèves qui, en décrochant, sont complètement ailleurs, « dans la lune », c'est-à-dire échappent momentanément à l'univers de l'école pour se retrouver dans quelque chose qui les tracasse ou les intéresse. Initialement, il était traduit par le signe 𝒞 .
L'autre décrochage possible est l'activité ↚. Les élèves peuvent avoir une activité effective : ils lisent, dorment, jouent, échangent des bonbons, montrent une image au voisin, un illustré, regardent dans leur cartable, rangent des affaires...

Il s'agit donc de l'ensemble des activités[9] (bavardage excepté) qui essayent de se dissimuler au regard de la maîtresse, celles qui n'ont pas le droit d'être, mais qui existent clandestinement. Disons qu'avec le bavardage, elles constituent un réseau clandestin de communication et d'activité.

Ce réseau est-il un réseau de rechange pour ceux qui ne participent pas au réseau de communication principale ?

— *Les bavardages* : symbolisés par les signes B, Bs.

Nous distinguerons ici, autant que faire se peut les bavardages scolaires et non scolaires, car ils n'ont pour nous pas du tout le même sens.

Les bavardages non scolaires s'intègrent dans le cadre de la communication clandestine, ils n'ont pas de rapport avec l'activité scolaire, ils sont beaucoup plus liés à la vie personnelle des élèves (qu'ils aient trait aux jeux de la cour de récréation ou aux préoccupations extra-scolaires personnelles des élèves) et sont prohibés par l'institutrice et soigneusement pourchassés soit par la parole, soit par le regard.

Quant aux bavardages scolaires Bs, ils sont au contraire pour nous le signe de l'intégration à la vie scolaire, marquant soit « l'ébullition » parce que le sujet traité par la maîtresse intéresse les élèves, ou bien « signe de coopération » de deux voisins devant la difficulté de la tâche demandée par la maîtresse (nous y incluons éventuellement le copiage, puisque la stratégie ici est de répondre au mieux à la demande du maître).

— *L'agitation* : symbolisée par le signe ♀.

Cet indicateur serait à rapprocher de ce qui a été dit sur le déplacement. Un certain nombre d'élèves manifestent ce que nous appellerons ici d'un terme péjorativement connoté : « l'instabilité ».

Ces élèves sont soit agenouillés sur leur chaise, ou sous leur table, soit presque assis sur leur table, en un mot semblent ne plus supporter très bien la station assise.

Est-ce un indice du fait qu'ils ne supportent pas la classe ? Ou au contraire se sentant à l'aise, s'expriment-ils corporellement ?

---

9. Cet indicateur pose de manière importante le problème de l'interprétation d'un comportement : est-ce parce qu'un élève ne fixe pas la maîtresse, mais fait un gribouillis qu'il est dans la lune ? L'inverse peut être aussi vrai, un geste maniaque pouvant refléter la concentration d'un individu sur le sujet évoqué. Nous sommes très directement confrontés au problème d'interprétation des phénomènes de déviance.

4 / LISTE RÉCAPITULATIVE DES INDICATEURS UTILISÉS

TABLEAU 2

I	Demande d'intervention simple
Is	Intervention spontanée
⊁	Intervention hors du contexte
I̲	Intervention insistante
①	Intervention reprise
Ip	Intervention provoquée
L	Lecture
T	Tableau
A	Ardoise
⚡	Déplacement
⚡m	Déplacement vers la maîtresse
╈	Décrochage
B	Bavardage
Bs	Bavardage scolaire
Ⴍ	Agitation

5 / LE FONCTIONNEMENT DE LA GRILLE D'OBSERVATION

Pour mener à bien notre observation, nous avons systématiquement procédé à des pré-observations. Celles-ci nous permettaient de nous familiariser avec la classe, et d'en relever le plan afin de situer précisément chaque élève.

Pour l'observation, nous étions donc munis du plan de la classe, où chaque élève était numéroté, et d'une grille (cf. exemplaire ci-après) ronéoté où nous avions reporté le nom et le numéro de place des élèves. La classe était partagée en deux ; chaque observateur[10] était donc muni d'une grille concernant la moitié de la classe qu'il observait (cf. page suivante).

L'observateur notait alors, suivant l'axe du temps, les comportements qui apparaissaient, indiquant éventuellement leur

---

10. Ces observations ont été effectuées avec J. Caniou, du Groupe de Sociologie de l'Education, et deux linguistes de l'UER de linguistique de Paris V, R. Jones et M.-C. Pouders. Nous étions trois pour chaque observation : 2 sociologues et 1 linguiste.

simultanéité, par exemple quand six élèves demandaient à intervenir à propos d'une même question, pendant que deux autres bavardaient et qu'un élève se déplaçait vers le bureau, alors qu'un seul était interrogé. L'observateur reportait l'ensemble de ces comportements.

Pendant ces observations, les linguistes enregistraient d'une part le déroulement verbal de la classe, et d'autre part, rapportaient à chaque élève le début de son intervention, ce qui, au moment du décryptage, permettait de situer précisément l'auteur de chaque intervention.

Le décryptage restitué en regard de nos données permit ainsi d'obtenir une véritable photographie à plat du déroulement d'une classe. Photographie qui ne prétend pas à l'exhaustivité ou à l'intégralité des comportements, bien que l'on obtienne ainsi plus de 50 000 données brutes mais qui restitue la focalisation de notre regard sur les éléments que nous avions jugés pertinents quant à nos hypothèses. On peut en trouver un exemple dans la transcription jointe ici, dans la page suivante.

C | L'OBSERVATION - L'ENQUÊTE

1 / LES CONDITIONS D'OBSERVATION

Nous avons observé sept classes de CM1, chiffre peu élevé qui est dû autant à un choix méthodologique qu'à des conditions empiriques : il nous fallait trouver des instituteurs qui acceptent d'être observés avec leurs élèves, et supportent trois observateurs et un magnétophone pendant toute une semaine.

La situation d'observation n'est pas toujours une situation facile à vivre, dans un système où l'enseignant est considéré comme seul maître à bord et peu habitué ou enclin à autoriser qui que ce soit à pénétrer dans sa classe. Les seuls visiteurs habituels de l'institution sont le directeur et l'inspecteur, personnages hiérarchiques. Or, précisément, nous voulions tenter d'éviter cette confusion entre chercheur et inspection, c'est pourquoi nous avons toujours travaillé avec des enseignants volontaires. Cependant nos étiquettes respectives, sociologues et linguistes nous présentaient d'emblée, aux enseignants, dans une position relativement

Grille d'observation. Classe n° 1 (1re moitié)

	Maitre			⚲ m
1	Cécile	Ⓘ		
2	Valérie	I	I / =	
3	Eric	I	I	
4	Olivier		I	
5	Jean-Philippe			
6	Laurence	✗		B ↘ B
7	Axelle	I	I	
8	Jean-François			
9	Victor			
10	Laurence Z.		Ⓘs	
11				
12	Isabelle D.	I	♀	
13	Stéphanie		Bs ←	
14	Caroline		Bs →	
15	Marie-Thérèse	✗	↗	
16	Hélène	I		

Grille de synthèse

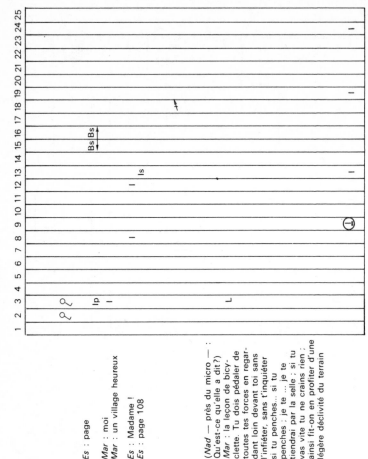

Alors vous allez préparer
votre livre ; nous allons
lire le texte
Nous continuons à parler
des jeux ; aujourd'hui, il
s'agit d'la bicyclette ;
page 108 ; page 108... ça
y est, alors Marine, tu lis
Lis le texte tout haut

Oh Marine

Tu es très ... de plus en
plus étourdie. J'te dis
nous allons parler des
jeux de la bicyclette ; et
je t'indique la page du
texte

Bon, eh ben ce n'est pas ça
qui est-ce qui va nous
relire cette phrase ... Clau-
dine ... allez

Es : page

Mar : moi
Mar : un village heureux

Es : Madame !
Es : page 108

(*Nad* — près du micro — :
Qu'est-ce qu'elle a dit ?)
Mar : la leçon de bicy-
clette. Tu dois pédaler de
toutes tes forces en regar-
dant loin devant toi sans
t'infiéter, sans t'inquiéter
si tu penches... si tu
penches ; je te ... je te
tiendrai par la selle ; si tu
vas vite tu ne crains rien ;
ainsi fit-on en profiter d'une
légère déclivité du terrain

déconcertante pour eux ; nous avons essayé d'atténuer celle-ci en expliquant que nous axions notre recherche « sur les capacités linguistiques des élèves de différents milieux ». Consigne ambiguë, destinée à ne pas trop perturber les phénomènes que nous voulions observer.

Le problème des distorsions dues à notre présence reste posé : la présence d'observateurs pendant une durée assez longue modifie-t-elle les comportements ? Cependant, il nous semble qu'il n'est pas possible de changer totalement de comportement et de faire la classe en même temps, pendant toute une semaine. La présence d'observateurs ne fait qu'amplifier, exacerber certains phénomènes, mais ne les renverse pas pour autant, car une dynamique propre à la tension qu'exige la classe est engagée.

Quant aux élèves, ils paraissaient curieux, excités et intrigués par ces adultes qui venaient les enregistrer (nous confondant au début avec des reporters-radio) et qui s'asseyaient au fond de la classe, gribouillant d'étranges signes, et ce sans interruption, sur des feuilles où chaque élève était scrupuleusement indiqué. Les élèves nous ont d'ailleurs bien aidés à suivre leurs changements de place et à repérer les absents. Attitude de coopération donc de certains, timidité ou complicité parfois de nos voisins immédiats au fond de la classe, nous ne saurons jamais quelles perturbations précises nous avons entraînées.

Au dire des enseignants, le comportement des élèves n'avait rien de spécifique, nous avons pour notre part essayé d'atténuer les aléas de toute recherche sur le terrain, mais il est bien évident que celle-ci ne permet pas de maîtriser l'intégralité des variables en jeu.

2 / PRINCIPE D'ÉCHANTILLONNAGE

Nous avons cependant adopté un critère très précis quant au choix des classes : Nous nous sommes attachés à trouver des classes dites « mixtes socialement », c'est-à-dire comportant des enfants de toutes origines sociales, mêlés dans une même classe.

Ne pouvant travailler sur un gros échantillon, qui aurait idéalement comporté des classes dites « bourgeoises », des classes dites « populaires » et des classes « mixtes », nous nous sommes limités à ces dernières, espérant pouvoir observer comment « dans un même ensemble composé d'éléments hétérogènes se constitue dans l'interaction scolaire une différenciation sociale ».

Nous avons donc été amenés à travailler dans différents quartiers de Paris, le 10e, le 11e, le 14e, le 17e et le 18e où se trouvent encore des îlots urbains abritant différentes couches de la population, qui fréquentent les mêmes écoles. Nous avons donc repris contact avec des enseignants interviewés précédemment dans le cadre d'une étude sur les Nouvelles Instructions Officielles[11] sur l'enseignement du français à l'école élémentaire, dites « Instruction Rouchette ». Notre recherche se situait au départ dans le prolongement des travaux engagés par l'ERA 281, dans le cadre de l'ATP « Innovation en Education » à propos de l'enseignement du français à l'école primaire.

Nous avons ainsi observé 26 séquences :

TABLEAU 3. — *Liste des séquences observées*

	Lundi	Mardi	Jeudi	Vendredi	Samedi
Classe n° 1	Vocabulaire Conjugaison	Préparation Dictée Elocution	Grammaire	Grammaire	
Classe n° 2	Poésie Langage et Vocabulaire	Grammaire	Langage et Vocabulaire		Reconstitution de texte
Classe n° 3	Lecture et Vocabulaire	Grammaire		Orthographe grammaticale	Dictée Correspondance scolaire
Classe n° 4	Textes libres	Reconstitution de texte	Elaboration d'un texte Grammaire	Conjugaison	
Classe n° 5	Expression orale	Dictée collective	Poésie	Lecture Grammaire	
Classe n° 6	Elocution spontanée	Lecture Etude de texte	Orthographe	Grammaire	
Classe n° 7	Grammaire Vocabulaire		Lecture Orthographe		

11. A ce propos, on pourra consulter les deux ouvrages suivants : Rapport ATP : *La réforme de l'enseignement du français à l'école primaire*, sous la direction de V. Isambert-Jamati, CNRS, Paris, 1977 ; M. Segré et J. Chobaux, *L'enseignement du français à l'école élémentaire. Quelle réforme ?*, PUF, 1981.

Le temps nécessaire à la mise en place de la grille d'observation (prétestée auprès d'instituteurs partageant notre problématique de recherche), les prises de contacts et demandes d'autorisation auprès des IDEN et directeurs, puis les pré-observations, les observations elles-mêmes, et les entretiens avec les enseignants nous permirent en une année d'observer ces 7 classes, soit 7 maîtres et 175 élèves. Les observations ont donc eu lieu pendant le deuxième et le troisième trimestre de l'année scolaire.

Nous avons ainsi précisément observé pendant une semaine toutes les séances de français dans chaque classe. Leur nombre varie donc d'un enseignant à l'autre (de 4 à 7 séances). Celles-ci sont d'une durée inégale, de 1/2 h à 1 h suivant le rythme propre à chaque classe. Les thèmes et activités étaient entièrement choisis par les enseignants, les linguistes leur demandant simplement de pouvoir assister au moins à une séance de vocabulaire et une séance de grammaire. Ce sont donc les constantes de l'ensemble du corpus recueilli.

D | LA POPULATION ÉTUDIÉE

Brossons un portrait rapide des 7 enseignants qui ont participé à cette recherche.

Parmi les 7 enseignants, 6 femmes et 1 homme nous ont accueillis dans leur classe, ce sont tous des enseignants dits expérimentés, ayant entre 10 et 22 ans d'ancienneté. Ils ont donc entre 30 et 50 ans, presque tous sont entrés dans l'Education nationale comme suppléants après l'obtention du baccalauréat, une seule est passée directement par l'Ecole normale, quelques-uns ont suivi des stages de recyclage en écoles normales, une institutrice ayant passé le CAEI[12].

A l'exception de deux enseignants qui ont fréquenté une école normale, soit en formation initiale, soit pour acquérir une spécialisation, les autres n'ont donc pas bénéficié d'une formation pédagogique cohérente, institutionnellement ; ce qui d'après l'étude d'Ida Berger[13] est d'ailleurs le cas d'un peu plus de la moitié des instituteurs et de plus des deux tiers des institutrices de Paris et sa banlieue.

---

12. Certificat d'aptitude à l'enseignement des enfants et adolescents inadaptés.
13. Ida Berger, *Les instituteurs d'une génération à l'autre*, PUF, 1979.

Mariés à des cadres moyens ou à des cadres supérieurs, les instituteurs observés sont aussi nés dans des familles de cadres supérieurs ou d'artisans, à une exception près, une des institutrices étant fille d'ouvriers et célibataire. Cette composition sociale, bien que limitée à sept individus, reflète les mêmes tendances que l'enquête déjà citée d'Ida Berger sur les enseignants de la région parisienne : « Un lent embourgeoisement du milieu social des instituteurs et des institutrices se dessine de manière significative. Si chez les institutrices les pères cadres moyens se trouvaient au premier rang il y a 20 ans, ils occupent aujourd'hui la première place dans le tableau des pères des enseignants ; mais ce sont les pères cadres supérieurs ou exerçant une profession libérale qui se trouvent à la tête de la statistique concernant les femmes enseignantes. »

Il n'est pas question de distinguer par la formation, l'origine sociale ou le sexe nos enseignants pour observer des variations, mais nous voulions situer notre observation dans son contexte, il est vrai, très parisien.

Voyons maintenant comment est constitué l'échantillon d'élèves représenté dans ces sept classes. Il n'y sera pas plus question de représentativité nationale, même si nous effectuons quelques comparaisons afin de mieux préciser les caractéristiques de notre échantillon.

2 / LES ÉLÈVES. CARACTÉRISTIQUES DE L'ÉCHANTILLON

Notre critère essentiel étant le choix de classes mixtes socialement, analysons la composition socio-professionnelle de l'échantillon.

Toutes les catégories sont effectivement représentées, mais dans quelle proportion ?

TABLEAU 4. — *Distribution des élèves par catégorie socioprofessionnelle*

Catégories	Effectifs	Pourcentage
Personnels de service	24	13,7 %
Ouvriers	43	24,6 —
Employés	21	12 —
Cadres moyens	29	16,6 —
Artisans/Petits commerçants	13	7,4 —
Cadres supérieurs/Professions libérales	43	24,6 —
Catégorie socioprofessionnelle non précisée	2	1,1 —
Total	175	100 —

Globalement, les classes populaires représentent la moitié de notre échantillon, ce qui correspond précisément à notre principe d'échantillonnage. La catégorie des cadres supérieurs/professions libérales est, elle, nettement sur-représentée par rapport à la composition de la population française, ce qui est sans doute dû à la localisation de notre étude dans la région parisienne.

Quant à la catégorie artisans/petits commerçants, elle ne regroupe en fait que des artisans (ce qui pose un certain nombre de problèmes que nous examinerons dans le chapitre consacré à cette fraction).

Ceci dit, la catégorisation de ces élèves pose un certain nombre de problèmes qu'il serait vain d'éluder. Afin de déterminer la catégorie socioprofessionnelle, nous avons repris l'ensemble des documents dont disposait l'enseignant, parfois le directeur ou même l'assistante sociale. Nous avons essayé d'être aussi précis que possible pour attribuer telle ou telle catégorie au chef de famille, mais il faut souligner que les fiches sont parfois remplies de manière bien sibylline, ce qui n'est pas sans signification[14]...

Examinons cette composition sociale par classe observée :

TABLEAU 5. — *Distribution des élèves
par catégorie socioprofessionnelle et par classe*

Classe	CSP							
	Personnels de service	Ouvriers	Employés	Cadres moyens	Artisans	Cadres supérieurs Prof. lib.	Non-identif. ([1])	Total
Classe 1	4	10	3		5	1	1	24
Classe 2		5	3	3	5	9		25
Classe 3	5	8	1	7		5		26
Classe 4	5	8	2	4		3	1	23
Classe 5	4	5	4	4	2	4		23
Classe 6	4	5	5	7		2		23
Classe 7	2	2	3	4	1	19		31
Total	24	43	21	29	13	43	2	175

([1]) Afin de ne pas déséquilibrer les phénomènes d'interaction étudiés, nous avons gardé dans notre population les élèves dont l'identification n'était pas complète. Ainsi deux élèves dans notre étude ne sont pas indentifiés du point de vue de la catégorie socioprofessionnelle.

14. Il est intéressant de noter à cet égard qu'une organisation familiale populaire : « Ecole et Famille », recommande à ses membres de ne pas répondre à cette question pour ne pas instaurer d'emblée chez les enseignants un préjugé défavorable en matière d'orientation.

D'une classe à l'autre, la distribution n'est pas homogène et des différences importantes apparaissent : les classes 1 et 4 sont à majorité populaire (respectivement 71 % et 65 %) alors que les classes 2 et 7 comportent une majorité d'enfants de cadres supérieurs/professions libérales (68 % et 77 %). Ces poids relatifs ont-ils une influence sur les comportements observés ? Nous pourrions essayer de le déterminer par la suite, mais la faiblesse des effectifs incite à une grande prudence et à limiter les découpages.

Travaillant plus précisément sur les séquences de français, nous nous sommes interrogés sur le pourcentage d'enfants de migrants dans les classes observées. L'information est particulièrement difficile à préciser : s'agit-il des élèves dont la nationalité officielle est autre que française ? Des élèves de nationalité française nés en France ou possédant les deux nationalités mais dont les parents à la maison ne parlent pas français ?

Il est bien difficile de trancher : ne considérer que la première catégorie, c'est négliger bien rapidement les problèmes de double appartenance culturelle et d'apprentissage plus délicat de la langue française ; mais comment, d'autre part, concrétiser la deuxième définition ?

Nous nous contenterons ici de constater que dans notre échantillon, à peu près 10 % sont de nationalité étrangère[15] sachant qu'en 1977, 9,3 % des élèves scolarisés dans le primaire public sont d'origine étrangère, et que l'on ne peut se fier à une telle variable que sur des données exhaustives ou largement représentatives. Sur notre échantillon, la petitesse de l'effectif et l'imprécision de la définition de cette variable rendent celle-ci difficile à manipuler. Nous ne l'exploiterons donc pas en tant que telle, mais cette composante sera présente dans l'analyse de certaines catégories sociales.

La répartition par sexe n'est pas plus homogène : 5 classes sur 7 sont mixtes, les 2 autres étant des classes de filles. Sur l'ensemble des classes, les filles représentent donc les deux tiers de l'échantillon. Parmi les classes mixtes, filles et garçons se répartissent globalement équitablement, mais dans deux classes, les filles ne représentent qu'un tiers de la classe, et inversement dans l'autre classe, les garçons ne constituent que le dixième de la classe.

Nous avons aussi étudié la répartition des élèves par âge, afin

---

15. Dans la mesure où nous avons pu explicitement obtenir cette information.

de vérifier si aucun biais important n'était introduit dans notre échantillon.

Comparons sur l'ensemble de notre échantillon les avances et les retards par rapport aux deux panels du ministère de l'Education nationale.

TABLEAU 6. — *Distribution des élèves par âge par rapport aux panels du* SEIS [1]

Classe	Age	1968-1969	1976-1977	Echantillon
	8 ans	7,4 %	4,1 %	4 %
Cours	9 ans (à l'heure)	49,8 —	63,1 —	65,6 —
moyen 1	10 ans	24,4 —	23,9 —	24,4 —
	11 ans et plus	18,4 —	8,9 —	5,1 —
Total		100 —	100 —	100 —

[1] D'après les données du SEIS, ministère de l'Education. Déroulement de la scolarité élémentaire chez les élèves de la classe de 6ᵉ recensé dans le panel 1974-1975.

Notre échantillon présente donc une distribution semblable à celle qui est observée dans le panel. Si les deux tiers des élèves sont à l'heure, ce qui marque un net progrès par rapport à la précédente décennie où près d'un élève sur deux était déjà en retard, on constate cependant que plus du quart sont encore en retard. Cette répartition se vérifie à peu près sur l'ensemble des classes, à l'exception de la classe 1 où la situation s'aggrave : 1 élève sur 2 est en retard.

Une analyse plus fine de la distribution des retards, croisée avec l'origine socio-professionnelle permet de constater que, dans notre échantillon, les retards ne se répartissent pas d'une manière aléatoire.

TABLEAU 7. — *Distribution des élèves par âge et par catégorie socioprofessionnelle*

	Age					
CSP	En avance	A l'heure	1 an retard	2 ans et + retard	Non identifié	Total
Personnels de service		8	12	4		24
Ouvriers		21	17	5		43
Employés	1	18	2			21
Cadres moyens	1	25	3			29
Artisans		10	3			13
Cadres sup. - Prof. lib.	5	34	4			43
Non-identifié					2	2
Total	7	116	41	9	2	175

Moins du tiers des enfants de personnels de service et juste la moitié des enfants d'ouvriers sont à l'heure, alors que 90 % des enfants d'employés et de cadres moyens le sont, ainsi que 91 % des enfants de cadres supérieurs/professions libérales.

De plus, parmi les enfants en retard, ceux qui présentent un retard de deux ans et plus, se recrutent uniquement parmi les enfants de personnels de service et d'ouvriers, dont ils représentent le huitième.

Par contre, les enfants en avance se trouvent, pour les trois quarts d'entre eux, parmi les enfants de cadres supérieurs.

Nous voilà donc, à l'issue de cette simple description de notre échantillon, renvoyés à notre problématique de départ : comment à l'intérieur de l'interaction scolaire un phénomène aussi massif se produit-il ?

CHAPITRE III

La règle du jeu

Partant de l'hypothèse d'une autonomie de la situation scolaire qui se traduirait dans l'interaction maître-élève, il nous faut dans un premier temps nous interroger sur « les règles du jeu » propres à cette situation spécifique qu'est le quotidien de l'école primaire. En d'autres termes, il s'agit de saisir comment dans cette situation spécifique qu'est la classe — au niveau de l'école primaire — les « routines quotidiennes » font apparaître les qualités requises pour exercer le métier d'élève ; à travers quelles règles s'acquiert et se manifeste la qualité de membre compétent, ou incompétent. Quelle est la grammaire des relations à l'intérieur de la classe ?

Pour cela, nous prendrons l'institution, au pied de la lettre, en analysant les interactions observées en fonction des résultats scolaires des élèves. Ceci nous permettra de saisir le fonctionnement de la Norme.

A | LA NORME SCOLAIRE

Référer la règle du jeu au statut scolaire sous-entend de prendre au mot l'institution scolaire en adoptant un point de vue purement interne. Celui-ci se manifeste en effet aussi bien dans le double registre du jugement symbolique que l'école primaire effectue — tant à travers le classement et les appréciations portées sur les élèves ou les maîtres — que dans le positionnement quotidien attribué par les séquences répétées d'interactions spécifiques entre le maître et tel ou tel type d'élèves.

Les modalités d'interaction mises en jeu entre les bons élèves et l'enseignant nous permettront ainsi de saisir en quelque sorte la formulation positive de cette règle du jeu, et à l'inverse apparaîtra la formulation négative de cette même règle dans l'interaction avec les mauvais élèves. « Il n'est pas de société qui ne propose, outre des modèles de conduite codifiée ou non, des modèles de modalité de la conduite accomplie et exemplaire, modèles régissant la manière d'exécuter les modèles, règles régissant la manière d'obéir aux règles, ou de leur désobéir : au jeu de l'excellence, le jeu avec la règle fait toujours partie de la règle du jeu[1]. » Mais il faut être vigilant, puisque nous parlons d'interaction : si nous attribuons les comportements observés à tel acteur défini — les élèves en l'occurrence — il est cependant bien clair que pour nous ce comportement constitue la résultante de l'interaction maître-élève.

Un certain nombre de travaux se sont déjà attachés à identifier cette norme, soit au niveau des systèmes de représentations de l'un ou l'autre des partenaires (M. Gilly[2], S. Mollo[3]), entre autres, soit au niveau des systèmes de classement et d'appréciation des enseignants (P. Bourdieu, M. de Saint-Martin[4]), soit encore au niveau institutionnel tels ceux de J. Chobaux ou J. Voluzan[5]. Mais peu de travaux ont identifié le fonctionnement de celle-ci à travers des comportements qui eux ne relèvent pas directement de l'analyse du discours mais cristallisent la position réciproque des uns et des autres[6].

Certains travaux du CRESAS[7] ont cependant posé des jalons dans cette perspective en référant les comportements observés à leur efficacité scolaire en termes d'acquisition de la lecture.

Nous considérerons ici la norme comme l'issue institutionnalisée — implicitement ou explicitement suivant les cas — de stratégies d'adaptation réciproques. C'est pourquoi nous avons intitulé ce chapitre « La règle du jeu ».

1. P. Bourdieu, M. de Saint-Martin, *L'excellence scolaire et les valeurs du système d'enseignement français*, texte ronéoté, CSE, 1969.
2. M. Gilly, *Maîtres et élèves. Rôles institutionnels et représentations*, PUF, 1980.
3. S. Mollo, *L'école et la société*, Dunod, 1970.
4. P. Bourdieu et M. de Saint-Martin, Les catégories de l'entendement professoral, *Actes de la recherche en Sciences sociales*, 1975, n° 3.
5. J. Chobaux, Un système de normes pédagogiques, *Revue française de Sociologie*, VIII, numéro spécial, 1968 ; J. Voluzan, *L'école primaire jugée*, Larousse, 1975.
6. P. Perrenoud, *La fabrication de l'excellence scolaire*, Paris-Genève, Droz, 1984.
7. A.-M. Pardo, C. Duchein, J. Breton, Performances en lecture au cours préparatoire. Participation à la classe et milieu d'origine des élèves, *Recherches pédagogiques*, n° 68, 1974.

L'analyse en fonction du statut scolaire met, bien évidemment, indissociablement en jeu tout autant le maître que l'élève, car il s'agit ici de repérer comment dans la « situation » le statut se concrétise, sachant qu'il peut être à chaque instant cause et conséquence de cette même situation. Dans la mesure où tout processus d'apprentissage passe par un processus relationnel, celui-ci peut se situer en opposition, en accord mais jamais indifféremment. Cette interaction du savoir et du relationnel détermine tout autant les possibilités d'apprentissage de l'élève que les conditions d'enseignement du maître. C'est pourquoi nous essaierons ainsi de comprendre comment se régulent les comportements respectifs et réciproques des élèves et des maîtres, en nous référant à notre hypothèse de départ où nous avons considéré qu'un mode de comportement, préférentiellement adopté par les bons élèves, est à la fois particulièrement efficace en matière d'acquisition d'apprentissage et de savoir, et objet d'un statut positif dans la classe. Et inversement, pour les comportements des élèves dits « mauvais ».

A travers cette identification des règles du jeu scolaire, nous déciderons et trancherons quant au sens et à la pertinence des indicateurs que nous avons choisis dans la constitution de notre grille d'observation. En la présentant, nous avons souligné que nombre d'entre eux n'étaient pas univoques ; nous saisirons donc ici le sens qu'ils prennent dans la spécificité d'une institution. C'est pourquoi, préférant prendre l'institution là où elle est la moins ambiguë, nous avons choisi de travailler sur les extrêmes qui permettent de mieux distinguer la polarité des jugements : les bons élèves et les élèves dits mauvais.

Nous avons, à partir de la moyenne générale de l'année, distingué trois catégories d'élèves, en regroupant dans chaque classe le premier interquartile des élèves, pour obtenir la catégorie « bons élèves » et le dernier interquartile comme catégorie dite « des mauvais élèves ». Le reste des élèves (soit la moitié) est donc regroupé dans une même catégorie « les moyens ».

B | BONS ET MAUVAIS ÉLÈVES

Tout d'abord, le comportement des bons élèves se caractérise par un nombre global de demandes d'interventions, deux fois plus important que celui des mauvais élèves : bons 16,80, mauvais 8,52[8].

Dans quelles conditions les bons élèves demandent-ils la parole ?

— Ils demandent la parole trois fois plus souvent avec insistance (1,11 pour les bons, 0,36 pour les mauvais)[9].

— Ils prennent la parole de manière spontanée presque 4 fois plus que les mauvais élèves (1,26 pour les bons, 0,35 pour les mauvais)[10].

— Leur intervention est 4 fois plus souvent en dehors du contexte (0,36 pour les bons, 0,08 pour les mauvais)[11].

— Et sur l'ensemble de leurs demandes, ils sont repris par la maîtresse 3 fois plus souvent (4,24 pour les bons, 1,46 pour les mauvais)[12].

On observe donc que les bons élèves demandent à la fois plus souvent la parole et sont trois fois plus souvent repris par la maîtresse.

La rentabilité de leur demande d'intervention est aussi plus importante, puisqu'une intervention sur quatre est reprise dans leur cas, contre une sur six pour les mauvais.

Est-ce parce qu'un élève demande plus souvent la parole, ce qui est le cas des bons élèves, qu'il l'obtient plus souvent ? Ou est-ce parce qu'il l'obtient facilement qu'il la demande plus souvent ? Il est bien difficile de trancher, mais on peut constater que

---

8. La moyenne exprimée ici représente, la moyenne d'intervention par individu observé sur une séquence observée. Dans notre corpus de données, l'unité de comptage de base se situe au niveau de l'individu observé pendant une séance, soit 846 unités. Si l'analyse porte sur 175 individus fréquentant sept classes différentes, chaque classe a été observée un certain nombre de fois qui varie d'une classe à l'autre (de 4 à 7). De plus, un élève peut être absent une, deux..., quatre fois, l'unité d'analyse sera donc *l'individu observé pendant une séance* (un même individu pouvant être observé d'une à sept fois au cours des sept observations ayant eu lieu dans sa classe). Nous avons donc retenu l'unité de comptage la plus fine afin de permettre les croisements ultérieurs. (On peut objecter qu'ainsi un même individu peut prendre un poids plus ou moins important suivant le nombre de fois où il a été observé, mais réduire l'ensemble des moyennes observées pour un individu à une seule moyenne individuelle nous empêcherait de comparer les différents types de séances observées. D'autre part, nous avons vérifié si le biais introduit était important en comparant certains résultats — individu par individu — aux résultats exposés ici. La différence est infime et ne change en rien les résultats de l'observation et l'analyse proposée ici.) Pour alléger le texte de l'ouvrage, les tableaux récapitulatifs ont été supprimés. Ils figurent intégralement dans la thèse intitulée : « L'école primaire au quotidien », thèse de 3e cycle, Université Paris V. Pour déterminer si les différences de comportements observés entre nos sous-groupes sont significatives, nous utiliserons le F de Snedecor.

9. F de Snedecor = 17, significatif à 1 %.
10. F de Snedecor = 9,86, significatif à 1 %.
11. F de Snedecor = 3,72, significatif à 5 %.
12. F de Snedecor = 32, significatif à 1 %.

l'attitude des maîtres, quand ils autorisent une intervention et la reprennent, non seulement ne rétablit pas l'équilibre entre bons et mauvais, mais accentue encore les différences de comportement entre ceux-ci. S'agit-il pour l'enseignant de faire avancer la leçon le plus vite possible en choisissant les élèves les plus susceptibles de répondre « justement » ? L'insistance serait donc l'indice d'une « autovalorisation anticipatrice » de sa réponse par l'élève, qui, sûr de son fait et de sa réponse, voudrait l'exprimer tout en demandant l'autorisation. Ce comportement est bien accepté par les maîtresses (puisqu'il a une bonne rentabilité) et semble un signe positif d'intégration au fonctionnement scolaire.

L'indicateur Intervention Spontanée distingue le plus fortement bons et mauvais élèves, l'écart allant de 1 à 4. Autrement dit, les bons élèves, non seulement insistent plus facilement pour prendre la parole, mais sont aussi suffisamment à l'aise et sûrs de l'accueil qui sera fait à leur intervention pour prendre la parole d'eux-mêmes, sans autorisation, et sans qu'une question soit réellement formulée et posée par l'enseignant. La réponse jaillirait au niveau du réflexe, tout comme dans une conversation « normale » où on ne lève pas la main pour intervenir, mais à laquelle on participe pleinement. Et même, parallèlement, ils interviennent nettement plus souvent en dehors du contexte, ce qui indiquerait que cette pratique va non pas dans un sens contraire aux indicateurs « intervention insistante et spontanée », mais dans le même sens : les bons élèves interviennent sans même être sûrs de la justesse de leur réponse, mais sûrs de l'accueil qui sera fait à celle-ci. Ils peuvent se permettre d'intervenir sur « ce qui leur passe par la tête » infléchissant ainsi l'enseignement de la maîtresse puisque celle-ci perçoit alors leur degré de compréhension, leurs difficultés et leurs centres d'intérêt.

Cet indicateur n'est donc pas le signe d'un décrochage par rapport à l'activité principale, mais bien au contraire, l'indice de l'activité intellectuelle de l'élève, qui se traduit dans son souci de résoudre la question posée, mais aussi, dans la libre association d'idées à propos du sujet évoqué.

Les « mauvais élèves », eux, se caractérisent par :

— des déplacements dans la classe, deux fois plus nombreux (0,39 pour les mauvais, 0,17 pour les bons)[13] ;

---

13. F de Snedecor $= 2,9$, significatif à 5 %.

— des décrochages trois fois plus nombreux (2,78 pour les mauvais, 0,89 pour les bons)[14] ;

— des bavardages légèrement supérieurs (2,18 pour les mauvais, 1,82 pour les bons)[15] ;

— des interventions provoquées légèrement plus nombreuses (0,37 pour les mauvais, 0,27 pour les bons)[16].

On constate donc sans surprise que les élèves dont les résultats sont les moins bons sont ceux qui participent le moins à l'activité principale de la classe, puisque nous avons vu précédemment en étudiant le comportement des bons élèves que leurs demandes d'intervention sont à la fois deux fois moins fréquentes, moins insistantes, rarement spontanées. Mais il faut remarquer qu'elles sont assez peu reprises par l'enseignant, et par contre, plus souvent provoquées par lui. C'est là le seul indicateur concernant les prises de paroles qui semblerait favorable aux « mauvais élèves ».

Les maîtresses utilisent-elles cette stimulation pour favoriser l'expression d'élèves qui ne prennent pas facilement la parole ?

On peut immédiatement constater que la moitié des interventions provoquées ne sont pas reprises et que, parallèlement, les décrochages différencient très nettement bons et mauvais élèves. Ces derniers décrochent trois fois plus.

Ces deux constatations nous amènent à penser que l'intervention provoquée serait plutôt un rappel à l'ordre, un moyen de rattraper la « fuite » d'un élève qui décroche, de ramener son attention.

A travers ces « décrochages » les mauvais élèves semblent plutôt se retirer dans un autre univers de pensée ou d'activité, comportement qui représente une opposition au réseau de communication relativement plus feutrée que le bavardage. En effet, celui-ci ne distingue que peu les mauvais élèves des bons : mais il représente une part différente des comportements clandestins et parallèles : les mauvais élèves bavardent proportionnellement un peu moins souvent (2,18) qu'ils ne décrochent (2,78), alors que les bons élèves décrochent nettement moins souvent (deux fois moins) qu'ils ne bavardent.

Si les mauvais élèves se déplacent deux fois plus, les bons

---

14. F de Snedecor = 3,3, significatif à 1 %.
15. F de Snedecor non significatif.
16. F de Snedecor non significatif.

s'agitent légèrement plus. Il semblerait donc que l'agitation accompagne plutôt une demande de parole intense, alors que les déplacements dans la classe se manifestent parallèlement aux décrochages.

Le déplacement vers la maîtresse différencie assez peu nos deux sous-populations tout comme les bavardages scolaires ; il est donc difficile de déterminer d'une manière univoque le sens de ces indicateurs, mais on peut faire l'hypothèse que pour ces deux sous-populations, ils ont un sens différent :

— tentative d'élucidation des consignes, pour les uns ;
— rapprochement physique vers la maîtresse, pour les autres.

Ces deux explications vont dans le sens d'une adéquation à la tâche d'apprentissage.

1 / PREMIÈRE CONSTATATION

Ayant utilisé la comparaison du comportement des bons et des mauvais élèves comme un test, nous pouvons constater que les indicateurs utilisés dans notre analyse sont bien des critères opérationnels et pertinents dans le cadre scolaire, puisqu'ils différencient fortement les bons des mauvais élèves et ceux-ci des moyens. Ils semblent exprimer nettement l'efficacité de l'insertion scolaire, que celle-ci se situe au niveau des apprentissages stricts ou de la relation.

Dans la démarche que nous avons suivie, nous avons parfois décidé d'interpréter tel ou tel indicateur en tranchant entre des sous-hypothèses parfois contradictoires, posées en début d'analyse. Les indicateurs prennent ainsi leur sens, de par la configuration dans laquelle ils l'insèrent. Ainsi les interventions en dehors du contexte, contrairement à notre sous-hypothèse de départ, sont le signe d'une très bonne intégration plutôt que l'indice d'une rupture avec le fonctionnement de la classe, puisqu'elles sont le fait de ceux qui demandent souvent à intervenir et sont facilement repris.

2 / DEUXIÈME CONSTATATION

Les comportements qui différencient le plus fortement nos deux sous-populations sont non seulement des comportements globaux, mais aussi parfois des comportements parasites ou parallèles et surtout non institués. L'informel apparaît ainsi comme la quintessence du formel, l'exceptionnel comme analyseur du rituel.

Que certains comportements soient propres aux bons élèves, implique en effet que ce type de comportement est au moins admis par les maîtresses et peut-être même valorisé puisque spécifique de ceux-ci.

Ces comportements, signes d'une bonne intégration, sont en même temps « infraction au rituel de la classe ».

Les bons élèves se caractérisent par une sorte de « surenchère » quant aux exigences de l'institution scolaire ; les mauvais élèves, eux, semblent tenter de s'esquiver.

Il apparaît donc nettement que les élèves se distinguent essentiellement par leur mode d'insertion dans le réseau principal de communication. Celui-ci peut être schématisé et résumé par le tableau suivant qui formule en deux colonnes les comportements spécifiques de chacun des deux sous-groupes décrits précédemment.

Afin de présenter plus visiblement nos résultats, nous utiliserons ici directement les sigles symbolisant les indicateurs de notre grille d'observation.

TABLEAU 8. — *Caractéristiques du réseau principal de communication*

Mauvais élèves	Bons élèves
	8,52 ≠ 16,80 Ils demandent deux fois plus la parole.
	1,46 ≠ 4,24 Ils sont repris effectivement trois fois plus.
	0,36 ≠ 1,10 Ils demandent à intervenir trois fois plus avec insistance.
	0,36 ≠ 1,26 Ils prennent la parole de manière spontanée quatre fois plus.
	0,08 ≠ 0,36 Ils interviennent quatre fois plus souvent hors du contexte.
2,78 ≠ 0,89 Ils décrochent trois fois plus.	
0,39 ≠ 0,17 Ils se déplacent deux fois plus.	
2,18 ≠ 1,82 Ils bavardent légèrement plus.	
0,37 ≠ 0,27 Les enseignants interpellent ces élèves légèrement plus souvent.	

— Quand l'indicateur caractérise un comportement adopté préférentiellement par une catégorie d'élèves, nous l'avons placé dans la colonne en question, d'où l'apparition du profil caractéristique des bons élèves.

— Nous avons fait figurer ici l'ensemble des indicateurs, afin d'indiquer tendanciellement les profils-types des bons et mauvais élèves.

C | LE JEU DE LA SURENCHÈRE

Le réseau principal de communication semble bien ici se caractériser par un mode de prise de parole dont les différents attributs marquent la qualité de l'insertion dans ce réseau de communication, à travers la progression suivante :

— intensité de la demande de parole ;
— rentabilité ;
— insistance ;
— spontanéité ;
— intervention hors contexte.

Cette progression marque non pas simplement les différents degrés d'adhésion à la norme scolaire, mais la facilité d'usage des règles du jeu qui modifie les règles explicites de prise de parole pour les transposer dans un registre implicite.

Il y a bien alors retraduction de la règle du jeu explicite laissant à celle-ci l'ordre du rituel et du conformisme pour attribuer au registre de l'implicite, l'irruption, l'événement, le plaisir, l'étincelle qui manifeste ce contact, ce plaisir d'enseigner et d'apprendre que postulent ou idéalisent les enseignants dans leur description de la relation pédagogique[17].

Alors que le réseau parallèle se caractérise essentiellement par des décrochages, des déplacements et des rappels à l'attention manifestés aussi bien sous forme d'interventions provoquées que de remarques, donc dans des stratégies et des rites d'esquives et de rappels.

Ballet classique autour duquel pédagogues et psychologues ont bataillé en essayant de définir ce concept bien flou d'« attention ». Wallon la définit négativement dans son chapitre sur les disciplines intellectuelles de l'encyclopédie française : « Une des plus grosses difficultés est d'abord de lutter contre les distractions du jeune écolier, d'obtenir qu'il résiste aux motifs de curiosité ou d'action qui le détourneraient de tâches définies et suivies »[18]. Or, l'enjeu est tel que c'est bien un des qualificatifs majeurs utilisé par les enseignants eux-mêmes pour décrire un bon élève.

---

17. Rapport COFREMCA, *Les enseignants du second degré, étude psychologique*, Rapport de synthèse, 1972.
18. H. Wallon, Les disciplines intellectuelles, *Encyclopédie française*, 1938, t. VIII, section B, chap. I, p. 8.44.1 à 8.44.10.

Dans les travaux de M. Gilly[19], l'attention apparaît comme une des variables les plus saturées puis viennent la ténacité, l'intelligence, la mémoire, l'expression verbale. Celui-ci concluant ainsi son analyse : « pour prendre un langage caricatural, la conformité des "attitudes" aux exigences scolaires compte plus encore que la conformité des "aptitudes" dans l'impression générale de l'enseignant. »

D'autre part, dans les travaux de Suzanne Mollo[20], il apparaît que le bon élève « se distingue avant tout par sa bonne tenue, il ne bavarde pas... il se tient bien en classe... il se range devant la porte avant de rentrer en classe ». Pendant les heures de classe, il restera « calme, non chahuteur... il ne se dissipe pas, ne gesticule pas... il refusera de parler avec ses camarades... Il lève le doigt pour être interrogé... Il ne parle que lorsque le maître lui en donne la permission ».

Si le portrait du mauvais élève tracé par nos observations semble cohérent avec ce qui est en jeu dans ces différentes descriptions, par contre, le portrait du bon élève est bien différent, et les interactions qui le caractérisent ne ressemblent en rien à celle-ci. Citons toujours S. Mollo : « Si l'enfant doit être soumis, docile, malléable, pour être un bon élève, l'adulte, par contre, pour être un bon maître, doit dépenser beaucoup d'énergie et faire preuve d'une forte personnalité. L'activité dans la communication scolaire est uniquement le fait de l'émetteur, c'est-à-dire du maître, être un modèle pour autrui signifie modeler autrui. »

Au contraire, dans nos observations l'infraction au rituel est signe d'une bonne intégration. Le maître n'est pas du tout le seul actif dans la communication. On pourrait évidemment réinterpréter nos propres données en termes d'adhésion et de docilité à une norme implicite, mais ce serait négliger et ignorer gravement le poids que l'élève, avec toutes ses caractéristiques sociales, peut avoir dans la communication scolaire. Cette cécité, souvent due à une conception manichéenne du pouvoir de l'adulte sur l'enfant, ignore à la fois le poids du groupe classe, et la subtilité des négociations que chacun mène pour y tenir une place[21]. Or, précisément la

19. *Op. cit.*
20. *Op. cit.*
21. Que soit dans la vie quotidienne de la classe, ou au moment de l'élection des responsables de classe, ainsi que le montre les deux études suivantes : N. Dehan, A. Percheron, M. Barthélemy-Thomas, La démocratie à l'école, in *Revue française de Sociologie*, juill.-sept. 1980, XXI, 3 ; A. Giraud, *Races et classes à la Martinique. Les relations sociales entre enfants de différentes couleurs à l'école*, Paris, Anthropos, 1975.

stratégie explicite ou implicite des bons élèves situe l'enseignant, elle l'interpelle et estime ce qu'il désire, ce qu'il tolère, ce qu'il ignore, mais aussi ce qu'il rejette de ce débordement, de cette surenchère d'une partie des élèves. A travers le comportement des élèves se dessine « en-à-plat » le comportement et le système de valeur de l'enseignant. Car la règle du jeu est l'objet d'une négociation implicite et permanente[22].

Notons simplement pour l'instant qu'infraction, surenchère, et débordement ne peuvent que s'inscrire dans le registre pédagogique de l'implicite puisqu'ils sont à la fois négation et reconnaissance de la norme scolaire, en définissant un jeu dont l'exception est une des règles.

Et rappelons que nous sommes au niveau du CM1, donc à un stade déjà avancé de l'itinéraire scolaire d'un enfant. Nous sommes donc face à des comportements établis, cristallisant tout à la fois l'ensemble des interactions des années précédentes et la situation telle qu'elle se produit sous nos yeux. Il s'agit donc de la mise en œuvre d'une norme constituée[23].

Une vérification s'impose pourtant à l'issue de cette analyse : Cette norme scolaire varie-t-elle d'une classe à l'autre ? Retrouve-t-on dans chaque classe les deux réseaux de communication que nous venons de déterminer sur l'ensemble de la population observée ?

D | D'UNE CLASSE À L'AUTRE

Pour répondre à cette question, il nous faut reprendre classe par classe l'analyse, ce qui pose immédiatement des problèmes techniques, dus à nos effectifs :

— Nous comparons sept classes les unes aux autres.

— A l'intérieur de chacune des classes, la partition en fonction des résultats scolaires nous amène (de par la construction même de notre échantillon à partir du premier et du dernier quart de chaque classe) à travailler sur des sous-groupes extrêmement faibles : 3 à 6 individus par classe. Ce n'est donc qu'à titre de simple

22. B. Bernstein, *Classes et pédagogies. Visibles et invisibles*, OCDE, 1975.
23. A cet égard, il est intéressant de reprendre les travaux faits par le CRESAS sur les maternelles ou sur le CP. On y distingue des phénomènes parallèles in *Recherches pédagogiques*, n° 68, 1974, et n° 95, 1978.

comparaison indicative et non de vérification, que nous entreprendrons avec une grande prudence interprétative l'analyse de nos sept classes.

S'intéresser à la variation interclasse présuppose ici d'interroger :

— l'homogénéité d'un phénomène ;
— l'autonomie des enseignants ;
— le poids de la variable groupe-classe.

Etant donné l'aspect fortement monographique d'une étude classe par classe, nous ne raisonnerons ici qu'en termes de tendance afin de déterminer si une certaine homogénéité se dégage, ou au contraire si les phénomènes s'inversent parfois. Il ne peut être question de différences significatives. Mais une fois constatée l'hétérogénéité ou l'homogénéité, à quelle variable, à quels facteurs peut-on l'imputer ?

En définissant cette norme scolaire, à travers une interaction, nous avons respectivement positionné les deux partenaires en jeu. Ce sont donc bien ces deux acteurs qui, dans une première analyse pourraient, chacun en fonction de l'autre, faire varier cette règle du jeu en fonction du réseau de déterminations dans lequel chacun s'insère.

Dans le cas d'une forte hétérogénéité, on pourrait en inférer une certaine autonomie de la part des enseignants, ceux-ci faisant varier la règle du jeu en fonction de déterminants que nous ne pouvons guère appréhender directement ici, mais seulement supposer. Pourtant, cette hétérogénéité pourrait aussi bien être dûe à des caractéristiques du groupe classe...

Pour répondre à ces questions, nous ne reprendrons ici que deux des indicateurs observés, afin de raisonner sur un nombre suffisant de comportements observés :

— le total des demandes d'interventions, afin de situer et comparer les groupes classes plus précisément ;
— l'ensemble des interventions reprises, afin de comparer l'autonomie des enseignants par rapport à la règle du jeu énoncée précédemment.

Analysons donc comment se répartit le total des demandes d'interventions distribuées en fonction des résultats scolaires, classe par classe.

TABLEAU 9. — *Répartition du total des interventions*
en fonction des résultats scolaires par classe (¹)
(Moyenne)

Classe	Résultats		
	Mauvais	Moyens	Bons
Classe 1	7,55	12,08	22,65
Classe 2	5,74	11,44	18,42
Classe 3	4,75	12,15	7,95
Classe 4	11,69	9,56	12,33
Classe 5	4,76	6,85	8,89
Classe 6	8,83	14,21	23,71
Classe 7	17,22	20,19	20,63
Ensemble	8,52	11,95	16,80

(¹) F. de Snedecor : 12,23, significatif à 1 %.

Ce tableau peut se lire plus facilement dans la représentation graphique suivante.

TABLEAU 10. — Graphique représentant le total des interventions distribuées
en fonction des résultats scolaires
(Moyenne)

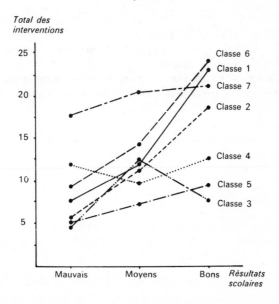

Nous avons symbolisé chaque classe par une courbe spécifique et positionné chaque catégorie d'élèves (bons — moyens — mauvais) dans chacune des classes. La courbe ne représentant ici qu'une aide visuelle pour positionner les élèves d'une même classe. Les axes — mauvais, moyens, bons — permettent ainsi d'analyser les positions respectives dans chaque sous-groupe.

Que constate-t-on ?

— Le volume global du nombre d'interventions des élèves varie assez fortement d'une classe à l'autre, tous résultats scolaires confondus ;

— les écarts à l'intérieur d'une même classe en fonction des résultats scolaires sont très variables, et peuvent aller du simple au triple pour certaines classes et être quasi nuls pour d'autres classes.

Mais, ceci étant, on voit assez nettement se détacher dans ce graphique un phénomène d'ensemble qui se produit dans cinq des classes observées, alors qu'il s'efface dans deux d'entre elles (les classes 4 et 3) : les bons élèves prennent globalement nettement plus la parole que les mauvais dans cinq classes et surtout dans deux. Le phénomène ne se renverse jamais.

Qu'en est-il des reprises, quel comportement les enseignants adoptent-ils à cet égard ? On peut faire l'hypothèse de trois cas de figures :

1 / Ils privilégient les bons élèves.

2 / Ils ne tiennent pas compte du statut scolaire et reprennent autant les uns que les autres.

3 / Ils tentent de renverser le courant en donnant la parole plus facilement à ceux qui la demandent le moins, à savoir les mauvais élèves.

TABLEAU 11. — *Répartition de l'ensemble des interventions reprises distribuées en fonction des résultats scolaires et par classe* (Moyenne) [1]

Classe	Résultats		
	Mauvais	Moyens	Bons
Classe 1	1,41	2,39	5,43
Classe 2	2,1	2,92	6,67
Classe 3	0,75	2,02	0,86
Classe 4	2,63	2,13	2,68
Classe 5	0,62	1,43	2,17
Classe 6	1,83	3,25	8,96
Classe 7	1,59	2	2,37
Ensemble	1,46	2,26	4,24

[1] F. de Snedecor : 10,69, significatif à 1 %.

Pour nous permettre de comparer visuellement les deux graphiques, reprenons le même mode de représentation que pour le total des demandes d'interventions. On constate d'emblée qu'ils sont majoritairement quasi superposables sur le graphique de la page suivante.

Bien que l'échelle soit différente entre les deux graphiques — total des prises de parole et total des reprises — on peut les superposer car le rapport interne des positions est équivalent.

On constate alors :

1 / une homologie assez forte ;
2 / la tendance principale ne s'inverse jamais ;
3 / les enseignants reprennent d'autant plus les enfants, qu'ils sont bons élèves.

TABLEAU 12. — *Graphique représentant l'ensemble des interventions reprises distribuées en fonction des résultats scolaires et par classe*
(Moyenne)

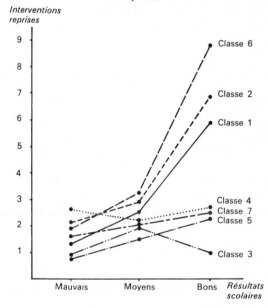

A l'exception de la classe 3 où les élèves moyens obtiennent le meilleur taux de rentabilité, et de la classe 4 ou le nombre de reprises est équivalent.

Mais il n'y a jamais renversement du comportement de l'enseignant en faveur des mauvais élèves. Il y a tout au plus uniformité du comportement de l'enseignant, le statut scolaire ne semblant pas régir directement la prise de parole. On peut d'ailleurs noter que ce phénomène apparaît dans une classe, tenue par une institutrice possédant le CAEI et ayant longtemps exercé en cours de perfectionnement.

Parallèlement, on peut noter que la dispersion des reprises des mauvais élèves est beaucoup plus faible que celle des bons élèves, on passe d'une classe à l'autre, d'une variation de 1 à 2 pour les premiers à un rapport de 1 à 8. Les comportements des enseignants sont donc beaucoup plus uniformes envers les mauvais élèves qu'envers les bons élèves.

Il semblerait que l'enseignant soit avant tout pris dans des contraintes internes à la situation immédiate d'enseignement. Son souci essentiel étant de faire avancer la classe[24], il reprendra d'autant plus les bons élèves et ignorera les mauvais.

Une analyse non publiée du contenu exhaustif d'une séquence enregistrée dans le cadre de nos observations nous montre qu'effectivement les enseignants se protègent de toute rencontre directe avec les mauvais élèves en ignorant, laissant tomber les réponses « fausses ». La stratégie pédagogique ici étant d'avancer en ne reprenant que ce qui est agréable à entendre, par cohérence avec l'enseignement donné, et non de revenir en arrière pour expliquer et corriger.

La marge d'autonomie des enseignants apparaît donc ici bien faible, la variation constatée d'une classe à l'autre, ou d'un maître à l'autre peu importante. Ni la composition sociologique des classes, ni des différences pédagogiques marquées ne semblent pouvoir expliquer ces différences, aussi arrêterons-nous ici la comparaison interclasse, car l'aspect monographique de l'étude nous amènerait à passer de l'analyse sociologique au discours clinique en glissant dans le registre de l'individualité et de la personnalité tant du côté des enseignants que des élèves.

Cette règle du jeu produite et vécue par les enseignants exprime

---

24. On remarquera à cet égard les notations parallèles de deux psycholinguistes : M. Brossard dans Approche interactive de l'échec scolaire, *Psychologie scolaire*, n° 38, 1981 ; et F. Marchand dans *Le français tel qu'on l'enseigne*, Larousse, 1971.

à la fois leur norme de comportement et de jugement des élèves. C'est donc en fonction de la position que les enfants adopteront face à cette règle du jeu, qu'ils seront jugés ; or nous avons vu combien leurs positions dans cet échiquier peuvent être différentes en fonction de leurs résultats scolaires.

Mais la performance et la compétence scolaires que reflète le statut donné par le classement ne sont pas les seuls critères qui différencient les élèves les uns des autres. Ils ne peuvent, à eux seuls, expliquer complètement ces différentes positions à l'intérieur d'une même instance de socialisation. Si dès cette première analyse, on peut se rendre compte que la définition de la norme scolaire ne peut se comprendre que dans une perspective interactionniste où comportement des élèves et comportement du maître sont structurellement liés l'un à l'autre, il nous faut introduire ici la notion de l'enjeu de la signification de cette norme pour les élèves afin de comprendre comment ceux-ci la saisissent, la comprennent et la traduisent en comportement à l'intérieur de la classe. Car les élèves se distinguent essentiellement par le mode de négociation de cette norme qu'ils arrivent à instaurer dans leur relation avec la maîtresse, que ce soit la surenchère, l'adhésion, le repli ou l'opposition par rapport à celle-ci. Quels sont les facteurs qui peuvent expliquer ces positions très différenciées au sein d'une même instance de socialisation ?

CHAPITRE IV

Esprit de sérieux
et prise de parole

A | LES ACTEURS EN PRÉSENCE

Si nous avons vu, en reprenant un point de vue complètement interne et propre à l'institution, se dégager une règle du jeu sur l'ensemble des classes étudiées et reproduite tendanciellement de classe en classe, il nous faut maintenant restituer cette règle du jeu dans son contexte social global. Travaillant sur des interactions sociales, nous nous tournerons immédiatement vers les acteurs sociaux en jeu directement dans cette situation pour comprendre le sens de cette règle du jeu, pour les uns et les autres. Vu le petit nombre de classes observées, nous n'avons pas étudié de variations en fonction des caractéristiques différentielles des enseignants. Par contre, dans ce chapitre, nous essaierons de comprendre comment les élèves se situent, de manière différentielle, dans l'institution scolaire en fonction de leur sexe. Quelle signification prend cette règle du jeu pour les uns et pour les autres, en fonction de quels réseaux de détermination les élèves se situent-ils ? De quels enjeux le quotidien de la scolarité primaire est-il investi ?

Mais adoptant un point de vue résolument interactionniste, nous essayerons toujours de comprendre comment les enseignants — et ici plus précisément les instituteurs pris dans la globalité de leur corps professionnel (puisque nous ne pouvons affiner l'analyse en ce qui les concerne) — se situent face à ces enjeux différentiels.

Paradoxalement peut-être, nous opposerons donc ici une unité du corps enseignant dont nous savons qu'elle est en partie fictive[1] à la diversité du public fréquentant l'école primaire.

Nous montrions plus haut l'existence d'une règle du jeu qui positionne assez précisément bons et mauvais élèves dans l'interaction scolaire. Qui sont donc ces bons élèves qui prennent si facilement la parole, et ces mauvais élèves passés maîtres dans l'art de l'esquive ?

Dans un premier temps, nous envisagerons comment filles et garçons se situent face à cette règle du jeu.

Reprendre le sexe comme première variable explicative, c'est reprendre la première variable explicative à la fois biologique, psychologique et sociale qui caractérise un individu. Mais ici nous n'entrerons pas dans la polémique du modelage social de l'identité sexuelle, à travers l'école, nous essaierons simplement de comprendre comment les filles agissent dans le quotidien scolaire sachant qu'à l'heure actuelle paradoxalement leur réussite scolaire apparaît de façon de plus en plus marquante dans l'ensemble des statistiques, alors que professionnellement et idéologiquement leur position ne change que lentement.

B | LE PARADOXE OU L'ESPRIT DE SÉRIEUX : FILLES ET GARÇONS À L'ÉCOLE PRIMAIRE

Quelles sont donc les performances scolaires des filles de notre échantillon dans les cinq classes mixtes observées ?

— Les filles sont deux fois moins souvent « mauvaises » élèves que les garçons, soit 12 % de filles alors que près d'un tiers des garçons sont parmi les mauvais élèves.

— Les deux tiers des filles sont classées parmi les élèves moyens, alors que les garçons ne le sont qu'à raison d'un sur deux.

— Enfin, garçons et filles sont à peu près dans les mêmes proportions bons élèves, soit respectivement 21 % des filles et 19 % des garçons.

---

1. Un certain nombre d'études démontrent, en effet, que non seulement au niveau des caractéristiques biographiques le corps enseignant n'est pas strictement homogène, mais aussi dans ses pratiques analysées dans leurs incidences sociales, par exemple : V. Isambert-Jamati, M.-F. Grospiron, *op. cit.*

TABLEAU 13. — *Répartition de la population des 5 classes mixtes en fonction du sexe et des résultats scolaires* ([1])

	Sexe		
Résultats	Filles	Garçons	Ensemble
Mauvais	8	18	26
	12 %	31 %	20 %
Moyens	45	29	74
	67 %	50 %	60 %
Bons	14	11	25
	21 %	19 %	20 %
Ensemble	67	58	125
	100 %	100 %	100 %

([1]) Comme nous l'avons indiqué précédemment, nous avons constitué dans chaque classe le premier et le dernier interquartile de la répartition des élèves en fonction de leurs résultats scolaires. Mais nous avons été obligés naturellement de former des interquartiles d'un nombre entier d'élèves. Quand l'effectif de la classe n'était pas divisible par quatre, nous avons systématiquement choisi de constituer les interquartiles extrêmes par défaut et l'interquartile médian par excès. L'effet cumulatif de ces choix explique donc que sur l'ensemble de la population, les bons comme les mauvais ne représentent que 37 individus sur 174 soit 21,3 % au lieu des 25 % attendus. Sur l'ensemble des classes mixtes la différence est même légèrement plus forte puisque bons et mauvais représentent chacun 20 % de la population.

La position de mauvais élève est donc une place plus rare pour les filles que pour les garçons, par contre elles se retrouvent massivement parmi les élèves moyens.

Mais qu'en est-il de leur scolarité antérieure ? Cette position plus favorable, l'année de notre observation, c'est-à-dire en CM1 soit en fin de Primaire, reflète-t-elle une scolarité plus rapide ?

TABLEAU 14. — *Répartition de l'ensemble de la population en fonction du sexe et de l'âge*

	Age					
Sexe	Non-réponse	En avance	A l'heure	Retard de 1 an	Retard de 2 ans et plus	Ensemble
Non-réponse	1					1
Filles		5	76	28	7	116
		4 %	66 %	24 %	6 %	100 %
Garçons		2	40	13	3	58
		3 %	69 %	22 %	5 %	100 %
Ensemble	1	7	116	41	10	175
	0,5 %	4 %	66 %	24 %	6 %	100 %

Les deux distributions sont quasi identiques, la scolarité de nos deux sous-groupes semble assez proche, plus du quart de chaque sous-groupe est en retard d'au moins un an, et les deux tiers sont à l'heure.

Notre échantillon ne reflète pas exactement la position plus favorable des filles, qui apparaît nettement dans les enquêtes nationales :

— sur le plan du classement ;
— au niveau du cursus scolaire.

En effet, celle-ci est nettement plus marquée dans les statistiques du ministère de l'Éducation nationale :

Ainsi l'avance scolaire est une constante dans la scolarité féminine[2] :

— Soit par entrée plus jeune au cours préparatoire par dérogation. En effet, les demandes de dérogation d'entrée au CP sont plus fréquentes pour les filles (56 % de filles contre 44 % de garçons en 1976-1977). De plus, les filles sont plus souvent admises en avance que les garçons (58 % d'admission chez les filles contre 56 % pour les garçons).

— Soit par saut de classe. L'avance relative des filles est un phénomène constant au cours de la scolarité élémentaire et qui a tendance à se renforcer comme le montrent ces exemples pris sur deux générations différentes :

TABLEAU 15. — *Position des filles dans la scolarité primaire ;*
part des filles en pourcentage par rapport à l'ensemble des effectifs
par âge au cours de la scolarité primaire [1]

1975-1976	1976-1977	1977-1978
CP à 5 ans = 53,96 %	CE1 à 6 ans = 53,95 %	CE2 à 7 ans = 55,62 %
CE2 à 7 ans = 54,29 %	CM1 à 8 ans = 54,61 %	CM2 à 9 ans = 54,94 %

[1] « Etudes et documents » 79.2, *op. cit.*

Les filles sont d'ailleurs moins nombreuses à redoubler.
De même dans leur scolarité ultérieure, une réussite plus forte

2. Etudes et Documents 79.2, *La scolarité féminine dans les enseignements du premier et du second degré.*

aux examens caractérise les filles. Ainsi que le montre l'étude de Précheur[3] sur la réussite au baccalauréat :

— l'accès à l'examen est toujours plus précoce chez les jeunes filles ;
— la réussite plus fréquente chez les candidates :
  70,83 % pour les jeunes filles,
  62,82 % pour les garçons.

On peut donc s'interroger sur l'existence de biais éventuels expliquant la position légèrement moins favorable des filles dans notre échantillon, mais celle-ci ne semble pas recouvrir une éventuelle distorsion entre la répartition des filles et des garçons parmi les différentes catégories socioprofessionnelles de notre échantillon.

TABLEAU 16. — *Répartition de l'ensemble de la population en fonction du sexe et de la catégorie socioprofessionnelle*

Sexe	CSP						
	Personnel de service	Ouvriers	Employés	Cadres moyens	Artisans	Cadres sup. Prof. lib.	Ensemble
Filles	14	30	14	18	11	28	115
	12 %	26 %	12 %	16 %	10 %	24 %	100 %
Garçons	10	13	7	11	2	15	58
	16 %	23 %	12 %	19 %	3 %	26 %	100 %
Ensemble	24	43	21	29	13	43	173 (¹)
	13 %	25 %	11 %	17 %	7,5 %	25 %	100 %

(¹) Rappelons que dans le cas de deux individus la CSP n'a pas été identifiée précisément.

A l'exception de la catégorie des Artisans où elles représentent la quasi-totalité de la catégorie, elles sont dans presque toutes les autres catégories socioprofessionnelles presque deux fois plus nombreuses que les garçons, conformément à leur représentation dans l'ensemble de l'échantillon.

Les deux distributions restent donc parallèles. Envisageons donc maintenant, après avoir étudié la spécificité de la position des filles

3. J.-C. Précheur, Les déterminants de la réussite et de l'orientation au niveau du baccalauréat, in *L'Orientation scolaire et professionnelle*, 1977.

dans notre échantillon, leur comportement par rapport à ceux des garçons dans les interactions que nous avons observées.

On constate que :

1 / Les filles demandent légèrement plus souvent la parole. Sur l'ensemble des demandes d'interventions au cours de nos observations, la moyenne des filles est de 12,8, celle des garçons 11,25.

Par contre, il n'y a quasiment pas de différences dans les modalités d'intervention :

— interventions insistantes :
  — filles 0,83,
  — garçons 0,78 ;
— interventions spontanées :
  — filles 0,66,
  — garçons 0,64 ;
— interventions en dehors du contexte :
  — filles 0,12,
  — garçons 0,12.

Filles et garçons sont d'ailleurs repris par les enseignants dans des proportions équivalentes :

— filles 2,12,
— garçons 2,24.

2 / Les garçons se distinguent par des comportements d'opposition passive ou active[4] :

Ils bavardent plus :

— tant en général :
  — garçons 2,25,
  — filles 1,69 ;
— que scolairement :
  — garçons 0,33,
  — filles 0,26 ;
et s'agitent nettement plus fréquemment :
  — garçons 0,92,
  — filles 0,55.

---

4. Pour les six indicateurs suivants, les valeurs du F de Snedecor montrent que les différences de moyennes constatées sont significatives à 1 %.

Mais ils se déplacent dans la classe moins que les filles :
— garçons 0,20,
— filles 0,57 ;
allant deux fois moins souvent voir la maîtresse :
— garçons 0,11,
— filles 0,20 ;
décrochent nettement plus :
— garçons 1,89,
— filles 1,02.

Les comportements observés distinguent donc relativement peu filles et garçons :

— Il n'y a pas de comportement spécifiquement féminin ou masculin des élèves dans le quotidien scolaire.

— Ces différences s'expriment plus en termes de tendance qu'en profil nettement contradictoire.

— Les écarts sont plus affirmés dans des comportements appartenant au réseau parallèle de communication que dans les comportements relevant du réseau principal de communication.

Ce mode d'intervention et de présence dans la classe rapproche en partie les filles du profil type du bon élève, car comme celui-ci, elles décrochent nettement moins et bavardent moins.

De plus elles s'agitent moins que les garçons, donnant ainsi l'impression d'une plus grande stabilité et d'une meilleure concentration sur les tâches scolaires.

Ainsi leurs meilleurs résultats scolaires s'accomplissent-ils dans un plus grand esprit de sérieux.

Comment interpréter cette attitude ? Si la réussite scolaire apparaît nettement dans les travaux de démographie scolaire que nous avons cités ou dans certains travaux sociologiques tels que ceux de Précheur ou de Cherkaoui[5], fort peu de travaux apportent des indications sur le pourquoi de cette réussite[6]. Les travaux portant sur la scolarité des filles posent en général le problème en termes d'adéquation-inadéquation à la structure économique globale, le système scolaire reproduisant ou dissimulant en la légitimant la stratification sexuelle du monde en travail[7].

5. J.-C. Précheur, *op. cit.* ; M. Cherkaoui, *Les changements du système éducatif en France, 1950-1980*, PUF, 1982.
6. De 1974 à 1982, treize références uniquement concernant les femmes et l'éducation sont catalogués par le CDSH.
7. N. Mosconi, Des rapports entre division sexuelle du travail et inégalité des chances entre les sexes à l'école, *Revue française de pédagogie*, n° 62, janv.-fév.-mars 1983.

Cependant certains travaux, analysant la socialisation de l'enfant dans une perspective psychosociologique présentent des données qui nous permettent de sortir de l'explication bien schématique et parfaitement stéréotypée d'une plus grande « docilité » des filles devant l'institution scolaire, qui expliquerait leur meilleure réussite. Cette explication traditionnelle et commode ne doit, on s'en doute, que bien peu à la démonstration et beaucoup au préjugé habituel sur la position sociale des femmes. Pourquoi analyser ce sérieux en terme de docilité ? Ce qualificatif que l'on trouve autant dans les documents officiels que dans la presse féministe cantonne toujours les filles dans le règne du négatif. Pourquoi ne pas parler d'autonomie et d'adaptation, quand on sait que ces comportements vont de pair avec une meilleure réussite, largement prouvée statistiquement à défaut d'être expliquée.

Nous nous baserons ici essentiellement sur deux études :

— l'une portant sur les comportements scolaires ;
— l'autre sur la socialisation des enfants de l'âge de l'école primaire.

Sélection partielle certes[8], mais de toute manière la littérature présentant des faits plutôt que des opinions sur le sujet est fort maigre.

La première étude, due à la psychologue Bianca Zazzo nous présente les résultats d'une recherche effectuée à partir d'observations de classe et de tests psychologiques en Maternelle, CM2 et 6e. Reprenant l'ensemble de ces données dans le cadre d'une comparaison entre garçons et filles, elle note les phénomènes suivants[9] :

« — A intelligence égale, les filles obtiennent de meilleurs résultats scolaires que les garçons.

« — Cette différence de rentabilité est due à des facteurs non cognitifs : la stabilité, la concentration, une meilleure maîtrise temporelle de la tâche. Les filles ne sont pas plus intelligentes que

8. On peut trouver deux revues de questions fort bien faites, mais reprenant essentiellement des études psychologiques ou psychosociologiques dans : C. Vandenplas-Holper, *Éducation et développement social de l'enfant*, PUF (1979), dans le chapitre sur l'apprentissage des rôles masculins-féminins ; M.-F. Hurtig, Elaboration socialisée de la différence des sexes, in *Enfance*, n° 4, 1982 ; M.-C. Hurtig et M.-F. Pichevin, *La différence des sexes*, Paris, Tierce-Sciences, 1986.

9. B. Zazzo, Les conduites adaptatives en milieu scolaire. Intérêt de la comparaison entre les garçons et les filles, *Enfance*, n° 4, septembre-octobre 1982.

les garçons, mais elles savent mieux utiliser leurs ressources intellectuelles.

« — Dans les différents types d'activités, les comportements de participation sont plus fréquents chez les filles que chez les garçons. Mais un second constat est à retenir : pour les filles, la participation est à peu près du même ordre, quelle que soit la directivité, ou la guidance de l'enseignante, ce qui n'est pas le cas pour les garçons. Autrement dit, comparativement aux garçons, les filles font preuve d'une plus grande autonomie dans l'exécution des tâches scolaires. »

Ces données soulignent ce que nous nommions l'esprit de sérieux des filles, en restituant celui-ci dans l'ordre d'une causalité qui ressort ici nettement de la capacité d'adaptation et non de la docilité.

On peut noter d'ailleurs que les instituteurs sont sensibles à cet investissement et au comportement des filles, la représentation qu'ils ont du comportement des filles étant toujours nettement plus positive[10]. Réciproquement les élèves filles perçoivent plus positivement leurs enseignants. L'interaction maître-élève est donc positivement connotée de part et d'autre, tant au niveau de sa représentation que dans les faits. S'adaptant plus facilement aux tâches scolaires, elles facilitent la tâche de la maîtresse qui, gratifiée dans son travail, s'adapte elle aussi à ses élèves leur permettant des apprentissages plus efficaces. On retrouve ici notre schéma de départ, les filles sortant beaucoup moins souvent du réseau principal de communication que les garçons.

Comment expliquer cette meilleure adaptation à l'école, qu'en est-il hors de l'école et principalement dans la famille ?

L'enquête de la Fédération nationale des écoles de parents et des éducateurs rapportée dans le volume *Enfants et parents en question. L'enfant de 7 à 11 ans dans sa famille et son environnement* apporte aussi quelques données[11].

On y constate que l'ordre du sérieux et de l'apprentissage règne sur l'enfance des filles. L'apprentissage des rôles sociaux familiaux et scolaires des filles est très tôt valorisé :

---

10. Gilly, *op. cit.* ; P. Zimmerman, Un langage non verbal de classe, in *Revue française de Pédagogie*, n° 44, juill.-août-sept. 1978.
11. Enquête effectuée à partir d'un échantillon représentatif de 1 300 familles en 1978, dans laquelle une grande attention a été portée aux modalités spécifiques de socialisation des garçons et des filles, publiée en 1980.

— Les parents investissent plus fortement la scolarité des filles au niveau du primaire et il en est de même pour les filles qui investissent et apprécient plus fortement le temps scolaire.

— Sur un plan matériel, on constate dans cette même enquête que les filles ont à effectuer plus de tâches ménagères et sont considérées plus souvent que les garçons dans le partage des tâches familiales comme partenaires à part entière. Cette aide ne semble pas du tout détourner les filles de la tâche scolaire, mais au contraire s'effectue avec le même sérieux. Cet investissement de la scolarité et cet entraînement précoce à l'accomplissement de différentes tâches permettent peut-être d'expliquer la meilleure adaptation des filles à la « chose scolaire ». Ne peut-on alors raisonner en termes de convergences entre ces deux instances de socialisation que représentent la famille et l'école. N'y aurait-il pas là une complémentarité spécifique des rôles sociaux accordés aux filles dans notre société.

Convergence dans les apprentissages, convergence dans le modèle que représente l'institutrice. En effet dans sa classe, l'institutrice incarne pouvoir et savoir, l'identification à l'adulte qu'elle propose passe donc par le savoir et ne s'oppose pas au modèle dominant de la femme. Car la féminisation de l'enseignement impose de plus en plus l'image d'une complémentarité[12] entre la position maternelle et la position pédagogique, intégrant ainsi rôle familial et rôle professionnel. Ainsi paradoxalement, l'école — bien qu'elle n'offre tant au niveau de la représentation idéologique que l'on a d'elle, que des représentations qu'elle véhicule à travers les manuels scolaires par exemple[13], qu'une position misogyne et aliénante —, dans les faits, permettrait aux petites filles d'investir la scolarité et d'y trouver un des leviers silencieux mais particulièrement efficaces de leur émancipation[14].

12. On trouve déjà des illustrations de cette complémentarité dans l'article de Geneviève Fraisse, La petite fille, sa mère et son institutrice (Les femmes et l'école au XIXᵉ siècle), *Les Temps modernes*, mai 1976.
13. A. Marrou-Decroux, *Papa lit, maman coud. Les manuels scolaires en bleu et rose*, Denoël-Gonthier, 1979 ; *Image de la femme dans les manuels scolaires*, Rapport INRP, 1975.
14. Même si les choix et les procédures d'orientation — tant du côté des filles et des familles que de l'institution — n'évoluent que très lentement.

CHAPITRE V

De l'usage selon les classes sociales du réseau principal de communication

A | RÈGLE DU JEU ET ORIGINE SOCIALE

La règle du jeu que nous avons énoncée précédemment peut prendre un sens différent suivant les acteurs, qui ne se définissent pas uniquement et de manière strictement autonome dans la sphère scolaire mais arrivent porteurs d'une identité modelée socialement.

Prendre alors la variable classe sociale comme variable explicative du comportement scolaire est à la fois une démarche évidente et brutale : évidente pour le sociologue familier de l'analyse de l'échec scolaire en termes macrosociologiques et marqué par les théories de la reproduction ; brutale pour le même sociologue, car elle permet de confronter d'une manière radicale la situation à son contexte, dans la mesure où elle importe à l'intérieur de la situation des schèmes explicatifs externes, en présupposant que les conditions de formation de cette « grammaire génératrice de pratiques » qu'est l'habitus, peut être un des principes explicatifs des comportements dans toute situation.

Or, précisément à fin de saisir dans quelle mesure la situation scolaire est en partie déterminée et en partie autonome, deux possibilités s'ouvrent. Premièrement, écarter momentanément « les figures obligées du discours sociologique »[1] et travailler précisément sur les contraintes internes de la « situation »[2].

_____

1. P. Perrenoud, _op.cit._
2. Ce que font les sociologues interactionnistes anglais par exemple.

Deuxièmement, aller jusqu'au bout de la puissance explicative de la variable classe sociale en la transposant dans cette situation précise qu'est la classe.

Dans ce travail, nous avons choisi cette deuxième voie, qui n'exclut cependant pas totalement la première possibilité, dans la mesure où précisément toute confrontation au quotidien d'une institution complique immédiatement les déterminismes sociaux, non pas simplement d'un point de vue empirique mais aussi théorique. Car il y a ici interaction entre partenaires sociaux dans un contexte organisationnel donné, d'où un travail constant de transposition et d'adaptation mutuelles. Ainsi, analyser les comportements, à partir de l'origine sociale des élèves, permet de situer l'école primaire en tant qu'instance de socialisation, par rapport aux autres instances avec lesquelles elle dialogue, résonne ou s'oppose. Dans cette tentative d'articulation d'une perspective microsociologique avec une perspective macrosociologique, nous procéderons ici en deux étapes :

— Dans un premier stade, nous situerons réciproquement les différentes fractions de classes les unes par rapport aux autres en fonction de leur utilisation du réseau principal de communication. C'est pourquoi nous procéderons dans ce chapitre à une analyse détaillée des modes de prise de parole, en nous limitant à un niveau purement descriptif.

— Nous n'envisagerons l'interprétation de ces comportements que dans la deuxième partie de l'ouvrage. Nous analyserons alors fraction de classe par fraction de classe, la position de chacune d'elle dans l'institution scolaire. Passant alors de la simple description des comportements observés à l'interprétation, nous essaierons de les expliquer en resituant nos observations parmi un certain nombre de travaux sociologiques portant directement ou indirectement sur l'utilisation de l'école primaire par ses différents publics.

Comment nos élèves se situent-ils scolairement en fonction de leurs classes sociales d'origine ? La représentation graphique de cette distribution nous donne, d'emblée, une image contrastée et presque rigoureusement complémentaire de l'origine sociale des bons et des mauvais élèves.

Les deux tiers des enfants d'ouvriers et d'employés sont classés parmi les moyens, un quart d'entre eux parmi les mauvais et environ 10 % seulement sont parmi les bons élèves.

TABLEAU 17. — *Histogramme des répartitions d'effectifs d'élèves par résultat scolaire en fonction de l'origine sociale*

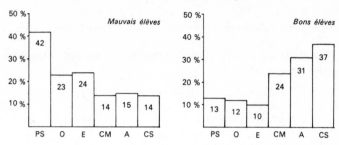

Quant aux enfants de personnels de service, si la proportion de bons élèves est chez eux à peu près identique à celle des ouvriers (13 %), on retrouve une proportion beaucoup plus importante d'entre eux parmi les mauvais élèves (42 %), moins de la moitié étant moyens.

On voit donc s'ajouter au retard précédemment décrit dans le chapitre 2, une situation d'échec scolaire attesté tant par les résultats dans la classe en cours, que par les retards dont on connaît le poids dans les décisions d'orientation[3] qui, rappelons-le, concernent 25 élèves soit 35 % des classes populaires et dans une situation de bonne réussite 1/8 du groupe.

Les proportions se renversent nettement quand on analyse la position des enfants de cadres moyens, d'artisans et de cadres supérieurs/professions libérales.

Ici entre un bon tiers et un quart des élèves se place parmi les bons élèves. La moitié ou les deux tiers se retrouvent parmi les élèves moyens, et seuls environ 14 % de chaque catégorie sont classés mauvais élèves.

Les enfants de cadres supérieurs occupent la meilleure position puisqu'ils comprennent 37 % de bons élèves.

Comment cette réussite se traduit-elle dans les comportements ?

Analysons, dans un premier temps, indicateur par indicateur, le comportement de chaque catégorie socio-professionnelle.

---

3. « L'âge résume la scolarité passée de l'élève, et constitue un signe important de ses aptitudes. L'âge est un critère d'orientation qui pèse de tous son poids dans la pratique quotidienne » (Girard, Nouvelles données sur l'orientation scolaire au moment de l'entrée en sixième, *Population et enseignement*, INED, PUF, 1970, p. 194.

B | LA CLASSE, MODE D'EMPLOI

1 / TOTAL DES DEMANDES D'INTERVENTION ET PRISES DE PAROLE

Les moyennes des différentes catégories socioprofessionnelles sont les suivantes :

Enfants de personnels de service	8,81
Enfants d'ouvriers	9,10
Enfants d'employés	12,10
Enfants de cadres moyens	15,48
Enfants d'artisans	15,09
Enfants de cadres supérieurs	14,53 [1]

[1] F. de Snedecor = 10,96, significatif à 1 %.

Ce sont les enfants de cadres moyens qui demandent le plus fréquemment la parole, suivis des enfants d'artisans puis des enfants de cadres supérieurs/professions libérales. Les enfants d'employés se situent dans une position médiane. Les enfants d'ouvriers et de personnels de service ont les moyennes les plus basses.

Les écarts sont assez importants : les enfants de cadres moyens demandent presque deux fois plus la parole que les enfants de personnels de service.

Mais ces moyennes indiquent-elles un comportement homogène à l'intérieur de chaque catégorie socioprofessionnelle ?

Afin de répondre à cette question, nous procéderons à une analyse des distributions. Nous nous limiterons ici à la description de celle-ci, sans avancer d'analyse statistique sophistiquée, car nos données posent un certain nombre de problèmes sur le plan de l'utilisation des tests classiques.

Nous avons expliqué précédemment les raisons qui nous ont poussé à choisir comme unité d'analyse, l'unité la plus fine possible, c'est-à-dire l'individu observé — et non l'élève. Ce choix implique certaines conséquences pour l'utilisation de tests statistiques, afin de déterminer si les différences de comportement constatées entre différents sous-groupes de la population sont significatives. En effet, les tests statistiques classiques (χ^2, F de Snedecor) présupposent que les variables sont indépendantes, ce qui n'est pas exactement le cas ici.

Deux phénomènes viennent biaiser cette indépendance :

1. Un même élève étant observé plusieurs fois, il est clair que les scores des individus observés ne sont pas indépendants les uns des autres.

2. Le score de chaque élève dépend entre autre de la classe à laquelle il appartient, les moyennes variant d'une classe à l'autre.

De plus, les conditions de normalité et d'homogénéité des variances intragroupes ne sont pas systématiquement vérifiées. C'est pourquoi nous nous en tiendrons à une prudente comparaison de moyenne dans l'analyse des distributions et à l'utilisation du F de Snedecor pour les variables les plus importantes, comme nous l'avons fait jusqu'à présent.

Pour analyser ces distributions nous avons distingué six catégories :

A. Les élèves qui n'interviennent pas du tout, soit 0 demande d'intervention.

B. Les élèves qui interviennent très peu, de 1 à 4 demandes, soit une participation faible, mais une participation tout de même.

Puis se succèdent les différents degrés de participation :

C. de 5 à 10 interventions.

D. de 11 à 20 interventions.

E. de 21 à 30 interventions.

F. plus de 31 interventions[4].

Les écarts de nos catégories ne sont pas constants, car nous avons privilégié le sens des catégories par rapport à la constance statistique, dans l'arbitraire du découpage.

TABLEAU 18. — *Histogramme de la distribution du total des demandes d'intervention par individu observé*

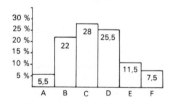

4. Le nombre maximal de demande d'intervention observé a été de 61.

Comment se répartissent les demandes d'intervention ? Analysons sur l'ensemble de la population les fréquences :

Des écarts très nets apparaissent d'emblée : 5,5 % individus observés n'ont jamais demandé la parole, 7,5 % l'ont demandée plus de 31 fois par séquence observée.

Si les moyennes indiquaient déjà des différences marquées, l'étude des distributions nous amène à constater des écarts beaucoup plus sévères.

En effet, si seulement 1,6 % des enfants de personnels de service demandent la parole plus de 31 fois — ce qui représente donc un comportement marginal pour cette fraction — par contre 10,6 % des enfants de cadres supérieurs/professions libérales adoptent ce comportement, comme on peut le constater dans le tableau suivant :

TABLEAU 19. — *Distribution du total des demandes d'intervention et prise de parole par catégorie socioprofessionnelle*

Interventions	CSP					
	PS	O	E	CM	A	CS
A 0	5 %	7,9 %	3,7 %	2,5 %	9,2 %	4,1 %
B de 1 à 4	29,2 —	*30,2* —	23,8 —	14,3 —	18,4 —	15,1 —
C de 5 à 10	*32,6* —	29,3 —	*30,3* —	26,1 —	18,4 —	25,1 —
D de 11 à 20	25 —	23,4 —	21,2 —	*30,9* —	22,3 —	*31,3* —
E de 21 à 30	6,6 —	6,5 —	15,5 —	12,5 —	14,3 —	13,6 —
F plus de 31	1,6 —	3 —	7,2 —	13,1 —	*18,2* —	10,6 —
	100 —	100 —	100 —	100 —	100 —	100 —

Les modes des distributions, que nous avons soulignés, distinguent eux aussi d'emblée nos catégories socio-professionnelles. Mais examinons de plus près celles-ci en les représentant graphiquement.

Dans toutes les catégories sociales, un certain nombre d'enfants ne demandent jamais à intervenir, dans le cadre de nos observations. Mais ce chiffre varie du simple au quadruple, entre les enfants de cadres moyens (2,5 %) et les enfants d'ouvriers (7,9 %) ou d'artisans (9,2 %). De même le déplacement du mode en fonction de la catégorie socioprofessionnelle accentue les différences constatées au niveau des moyennes. Si dans les classes populaires, le mode oscille entre les catégories B et C, chez les

TABLEAU 20. — *Histogramme de la distribution du total des interventions par catégorie socioprofessionnelle*

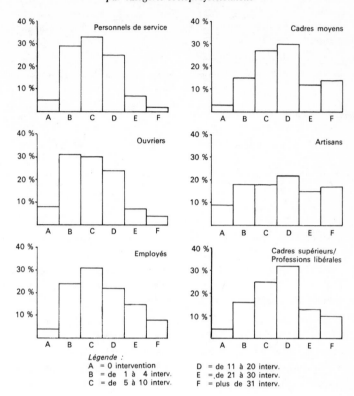

Légende :
A = 0 intervention
B = de 1 à 4 interv.
C = de 5 à 10 interv.

D = de 11 à 20 interv.
E = de 21 à 30 interv.
F = plus de 31 interv.

enfants de cadres moyens, d'artisans et de cadres supérieurs, ils se situent dans la catégorie D.

C'est-à-dire que dans ces trois dernières catégories plus de la moitié des individus observés interviennent plus de onze fois par séance.

Qu'en est-il de l'attitude des enseignants face à la plus ou moins grande intensité des demandes d'interventions ?

2 / INTERVENTIONS REPRISES

Les interventions reprises sur l'ensemble de la population se distribuent ainsi :

TABLEAU 21. — *Distribution du total des interventions reprises sur l'ensemble de l'échantillon* ([1])

Catégorie	A	B	C	D	E	F	Total
Effectifs	215	491	109	24	3	2	846
Pourcentage	25,7 %	58,6 %	13 %	3 %	0,4 %	0,3 %	100 %

([1]) La répartition est la suivante :
Catégorie A : 0 intervention reprise
Catégorie B : 1 à 4 interventions reprises
Catégorie C : 5 à 10 interventions reprises
Catégorie D : 11 à 20 interventions reprises
Catégorie E : 21 à 30 interventions reprises
Catégorie F : plus de 30 interventions reprises

— le quart des individus observés n'est jamais repris (soit 215) ;
— plus de la moitié sont repris entre une et quatre fois (soit 491) ;
— être repris cinq fois et plus est déjà moins fréquent, certains individus arrivant à être repris jusqu'à 35 fois dans une même séance. Il s'agit là d'un quasi-dialogue.

L'intégration au réseau principal de communication, que manifeste la reprise des interventions des élèves, varie donc très fortement. Cette variation est-elle liée à l'origine sociale ?

Tout d'abord analysons les moyennes de chaque catégorie socioprofessionnelle.

Enfants de personnels de service	1,54
Enfants d'ouvriers	1,83
Enfants d'employés	2,41
Enfants de cadres moyens	3,71
Enfants d'artisans	3,79
Enfants de cadres supérieurs	2,61 ([1])

([1]) F. de Snedecor $= 8,19$, significatif à 1 %.

Les enfants de cadres moyens et d'artisans sont donc, en moyenne, deux fois plus souvent repris que les enfants des personnels de service et les enfants d'ouvriers. Les enfants de cadres supérieurs/professions libérales et les enfants d'employés sont, eux moins souvent repris que les enfants de cadres moyens et d'artisans, mais plus souvent que ceux des ouvriers et personnels de service (respectivement un point de moins que les uns, un point de plus que les autres).

Trois sous-groupes se distinguent donc assez clairement.

Si on examine les distributions, on constate que pour des moyennes relativement peu élevées, 3,79 au maximum, les interventions reprises se dispersent de 0 à 35 interventions reprises pour certaines catégories socio-professionnelles, même si les modes de chaque distribution se trouvent dans la catégorie B (de 1 à 4 interventions).

TABLEAU 22. — *Histogramme de la distribution du total des interventions reprises par catégorie socioprofessionnelle*

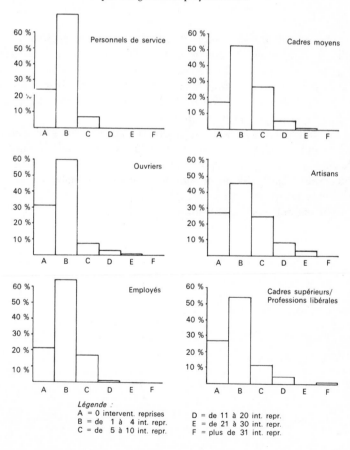

TABLEAU 23. — *Distribution du total des interventions reprises par catégories socioprofessionnelles*

Reprises	CSP					
	PS	O	E	CM	A	CS
A 0	26,7 %	31,6 %	21,1 %	18,5 %	23,7 %	26,5 %
B de 1 à 4	67,5 —	59,9 —	63,4 —	52,1 —	44,8 —	56,1 —
C de 5 à 10	5,8 —	6,6 —	14,7 —	23,5 —	21,8 —	12,1 —
D de 11 à 20		1,5 —	0,9 —	4,9 —	7,8 —	4,5 —
E de 21 à 30		0,5 —			2,6 —	
F plus de 31				0,8 —		0,5 —
	100 —	100 —	100 —	100 —	100 —	100 —

On constate que le nombre d'élèves jamais repris est loin d'être nul. Quelle que soit l'origine sociale à l'intérieur de cette catégorie, deux cas peuvent être distingués, ceux qui ne demandent jamais la parole et ceux qui ne l'obtiennent jamais. On peut d'ailleurs calculer le nombre d'élèves qui ne parlent pas du tout, bien qu'ayant demandé la parole au moins une fois.

Il faut procéder alors au calcul suivant : si on soustrait le pourcentage d'élèves observés n'ayant jamais demandé la parole, du pourcentage d'élèves qui n'ont jamais été repris, nous saurons quel pourcentage d'élèves ne sont pas repris du tout alors qu'ils ont demandé au moins une fois la parole[5].

On obtient alors les résultats :

	% élèves non repris		% élèves n'ayant jamais demandé la parole		% élèves n'arrivant pas à obtenir la parole
Personnels de service	26,7 %	—	5 %	=	21,7 %
Ouvriers	31,6 —	—	7,9 —	=	23,7 —
Employés	21,1 —	—	3,7 —	=	17,4 —
Cadres moyens	18,5 —	—	2,5 —	=	16 —
Artisans	23,7 —	—	9,2 —	=	14,5 —
Cadres supérieurs	26,5 —	—	4,1 —	=	22,4 —

5. La validité de ce raisonnement tient à l'inclusion des interventions provoquées dans le total des interventions, donc un élève ne peut pas être repris et avoir un total d'interventions nul.

Si nous comparons alors les deux suites données :

TABLEAU 24. — *Répartition des élèves ne prenant pas la parole en fonction de la catégorie socioprofessionnelle*

	O	PS	CS	A	E	CM
Elèves n'ayant jamais demandé la parole	31,6	26,7	26,5	23,7	21,1	18,5

	O	CS	PS	E	CM	A
Elèves ayant demandé et non repris	23,7	22,4	21,7	17,4	16	14,5

L'ordre change légèrement, mais deux sous-groupes apparaissent nettement :
— d'une part, ouvriers, personnels de service et cadres supérieurs ;
— d'autre part, employés, artisans et cadres moyens.

Plus on analyse finement cette distribution et plus la position des enfants de cadres supérieurs/professions libérales semble s'éloigner de celle des cadres moyens, artisans et se rapprocher de celle des ouvriers et personnels de service.

Ce que montre également l'analyse de la rentabilité des demandes d'intervention ; celle-ci est exprimée par le rapport du total des demandes d'interventions sur l'ensemble des demandes reprises.

TABLEAU 25. — *Coefficient de rentabilité des demandes d'intervention par catégorie socioprofessionnelle*

Indicateur	CSP						
	PS	O	E	CM	A	CS	Ensemble
Total des I	8,81	9,10	12,10	15,48	15,1	14,53	12,18
Total des reprises	1,54	1,83	2,41	3,71	3,79	2,61	2,49
Coefficient de rentabilité	$\frac{1}{5,70}$	$\frac{1}{5}$	$\frac{1}{5,02}$	$\frac{1}{4,17}$	$\frac{1}{3,97}$	$\frac{1}{5,57}$	$\frac{1}{4,89}$

Ce tableau se lit de la manière suivante : les enfants de personnels de service ont une chance sur 5,7 d'être repris, alors que les enfants des artisans ont une chance sur 3,97.

Globalement, les écarts ne sont pas très importants, mais

tendanciellement, ils permettent de constater que les enfants de cadres moyens et d'artisans ont les meilleurs taux de rentabilité, les enfants d'ouvriers et d'employés ont les mêmes chances et se trouvent dans une position médiane, une chance sur 5, alors que ceux des cadres supérieurs rejoignent les enfants des personnels de service avec les plus mauvaises chances d'être repris, 1 sur 6.

Si les enfants de cadres supérieurs se situent parmi ceux qui interviennent le plus, leurs demandes sont parmi les moins rentables, contrairement aux enfants de cadres moyens et d'artisans qui demandent à intervenir le plus souvent et ont les meilleures chances d'être repris.

3 / INTERVENTIONS INSISTANTES ET SPONTANÉES

TABLEAU 26. — *Répartition des interventions insistantes et spontanées en fonction de la catégorie socioprofessionnelle*

	CSP						
Indicateur	*PS*	*O*	*E*	*CM*	*A*	*CS*	*Ensemble*
Interventions insistantes [1]	0,32	0,56	0,54	1,60	0,90	0,77	0,75
Interventions spontanées [2]	0,34	0,34	0,27	1,69	1,29	0,63	0,68
Indice de facilité de prise de parole [3]	0,66	0,90	0,81	3,29	2,19	1,40	1,43

[1] F. de Snedecor = 6,67, significatif à 1 %.
[2] F. de Snedecor = 10,81, significatif à 1 %.
[3] Dans cette dernière ligne, nous avons additionné les interventions insistantes et spontanées afin de construire un indice de facilité de prise de parole.

L'analyse de ce tableau montre que les modalités de prise de parole varient très fortement en fonction des catégories socioprofessionnelles :

— Les enfants de cadres moyens demandent à intervenir deux fois plus fréquemment avec insistance que les enfants d'artisans et cadres supérieurs, trois fois plus que les enfants d'ouvriers et employés et quatre fois plus souvent que ceux des personnels de service.

— Les enfants de cadres moyens, toujours eux, prennent la

parole spontanément nettement plus facilement que les enfants d'artisans et presque trois fois plus que ceux des cadres supérieurs. Les enfants d'employés, d'ouvriers et de personnels de service la prennent cinq fois moins souvent spontanément.

— Les enfants de cadres supérieurs ont un comportement qui est toujours proche de la moyenne de l'ensemble.

C | POSITION RELATIVE DES DIFFÉRENTES CATÉGORIES SOCIOPROFESSIONNELLES DANS LE RÉSEAU PRINCIPAL DE COMMUNICATION

A l'issue de cette description, indicateur par indicateur, synthétisons maintenant l'ensemble des données étudiées. Si on ordonne, par ordre croissant, les différents indicateurs que nous venons d'étudier, en les positionnant relativement les uns aux autres, sur un axe délimité par les extrêmes observés, on obtient le schéma suivant :

TABLEAU 27. — *Position relative des différentes catégories socioprofessionnelles dans le réseau principal de communication*

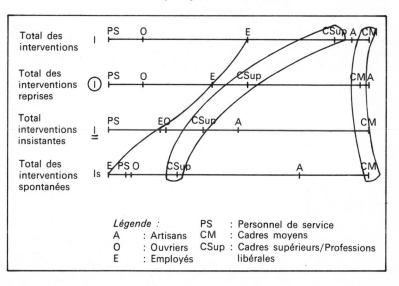

Ce tableau montre clairement, en résumant l'analyse détaillée que nous venons de faire de ces quatre indicateurs, que :

1 / Les positions observées ne se distribuent pas suivant une graduation linéaire faisant se succéder strictement les catégories socioprofessionnelles par ordre culturel et économique.

2 / Les positions des enfants d'employés ne s'alignent pas toujours sur celles des enfants d'ouvriers.

3 / Les enfants d'artisans se distinguent nettement des enfants de personnels de service, ouvriers et employés ; ils semblent assez proches des enfants des cadres moyens.

4 / Les enfants de cadres supérieurs/professions libérales ont des positions parfois médianes, parfois proches de celles des enfants de personnels de service, employés et ouvriers.

5 / Les enfants de cadres moyens se détachent fortement des autres catégories, prenant la tête, avec une position assez homogène puisque sur la quasi-totalité des indicateurs rassemblés ici, ils définissent l'extrême observé.

Nous nous sommes bornés jusqu'à présent à la description ; comment peut-on maintenant interpréter ces résultats ?

Les classes populaires
et l'école primaire

A | DISTANCE, REPLI ET CONFORMISME

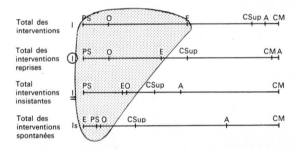

La position des enfants des classes populaires[1] apparaît nettement dans ce graphique, à la fois dans sa diversité et son homogénéité : ils interviennent moins fréquemment que les autres

---

1. Les enfants des classes populaires qui, rappelons-le, représentent la moitié de notre échantillon, soit 88 élèves sur 175, se répartissent ainsi : 24 enfants de personnels de service, 43 enfants d'ouvriers, 21 enfants d'employés. Près de la moitié des enfants des classes populaires sont donc fils d'enfants d'ouvriers, ce qui constitue le quart de l'échantillon total, les enfants de personnels de service et les enfants d'employés représentent respectivement un quart du groupe des classes populaires. Nous avons isolé les manœuvres et personnels de service, des ouvriers et des employés, afin de distinguer la fraction sans qualification de l'échantillon et d'homogénéiser autant que faire se peut nos catégories. Parmi les familles de personnels de service plus de la moitié des femmes travaillent (13 sur 20) dont 5 qui sont chefs de famille, les pères étant absents ou décédés. Les chefs de famille sont essentiellement personnels de service dans le secteur tertiaire, seuls 2 sont manœuvres.

Dans les familles d'ouvriers, à peu près un chef de famille ouvrier sur 5 (soit 8 sur 43) occupe des fonctions de maîtrise, un quart des mères sont au foyer.

Quant aux employés, leurs caractéristiques sont les suivantes : les deux tiers sont employés

(9,8 pour l'ensemble de cette catégorie) surtout dans le cas des enfants de personnels de service (8,09) et d'ouvriers (9,1).

Cette moyenne est deux fois moins importante que celle des autres catégories telles que cadres supérieurs, artisans et cadres moyens.

Les enfants d'employés (12,1) se situent dans une position médiane entre les enfants de personnels de service et ouvriers, d'une part, et les enfants de cadres supérieurs (14,53), d'artisans (15,08) et de cadres moyens (15,48), d'autre part. Cette participation déjà moindre globalement, est constituée essentiellement de demandes d'interventions simples : ces élèves n'utilisent que peu les interventions insistantes et n'interviennent quasiment pas spontanément (deux fois moins que les enfants de cadres supérieurs et six fois moins que les enfants d'artisans et de cadres moyens).

Globalement, ces enfants manifestent donc une participation faible, mais réelle bien que prudente comme le synthétise le tableau suivant :

TABLEAU 28. — *Répartition des modes de prise de parole parmi les enfants des classes populaires*

| Indicateur | CSP | | | |
	Personnels de service	*Ouvriers*	*Employés*	*Classes populaires*
Total des interventions	8,08	9,10	12,10	9,80
Total des interventions reprises	1,54	1,82	2,40	1,90
Total des interventions insistantes	0,30	0,56	0,54	0,50
Total des interventions spontanées	0,34	0,34	0,27	0,32

D'autant plus que l'intégration de leurs interventions par les enseignants ne renverse pas cette situation, mais renforce plutôt les enfants de personnels de service et d'ouvriers dans leur position, ainsi que le représente la partie grisée du graphique. Ces tactiques

de bureau. Il faut noter qu'ayant pris en compte le chef de famille pour déterminer la catégorie socioprofessionnelle, on retrouve parmi les employés de bureau de nombreuses femmes chef de famille. Elles représentent ici la moitié des employés de bureau. Or, l'on sait non seulement que ceux-ci sont généralement plus diplômés que les employés de commerce (44 % de diplômés de niveau V contre 24,5 % pour les employés de commerce, FQP 1975) mais aussi que les femmes sont généralement plus diplômées que les hommes. Plus de la moitié travaillent dans les grands services publics : P et T, SNCF, RATP, Municipalité ; ceux-ci recrutant généralement la fraction des employés d'origine populaire. Les employés de commerce, en revanche, se trouvent quasiment absents de notre échantillon. On peut donc faire l'hypothèse que nous sommes en face d'une fraction relativement diplômée et d'origine plus nettement populaire.

de soustraction, de mise à distance se retrouvent non seulement dans le mode de participation mais aussi dans le mode d'opposition.

Ainsi, pour chacune des catégories socioprofessionnelles, les comportements de décrochages et de bavardages se répartissent ainsi :

TABLEAU 29. — *Répartition des décrochages et bavardages par catégorie socioprofessionnelle*

Indicateur	Personnels de service	Ouvriers	Employés	Cadres moyens	Artisans	Cadres supérieurs/ Professions libérales
			CSP			
Décrochage	1,85	1,50	1,60	1,23	0,77	1,56 [1]
Bavardage	1,30	1,89	2,09	2,15	1,92	2,28 [2]
Total	2,15	2,39	3,69	3,38	2,69	3,84

[1] F. de Snedecor = 2,00, significatif à 10 %.
[2] F. de Snedecor = 1,92, significatif à 10 %.

On peut constater que moins on participe au réseau principal de communication, moins on bavarde, et plus on décroche. Ainsi, les enfants de personnels de service sont à la fois ceux qui bavardent le moins et qui décrochent le plus.

Bien que située globalement dans ce même mode de participation, la position des enfants d'employés marque un décalage, et comme le montrait le graphique, ce décalage se creuse au fur et à mesure que nos critères mesurent plus finement l'intégration scolaire. Ces élèves semblent ainsi s'effacer progressivement, passant d'une participation moyenne à la position distante et prudente, propre à l'ensemble des classes populaires.

Les enfants d'employés semblent entrer plus facilement dans le jeu scolaire à condition d'en respecter les règles ; mais il s'agit d'une simple adaptation respectueuse et timide, qui ne souffre aucune de ces infractions au rituel de la classe, caractéristiques des élèves particulièrement à l'aise dans l'institution scolaire (tels les enfants de cadres moyens). Ils occupent ainsi une position spécifique que traduit non seulement leur stratégie dite de « prise d'avance initiale » dès le début de l'école primaire par le saut du cours préparatoire, mais aussi au sein de la classe, leur relative facilité de parole.

Cette stratégie les distingue nettement des enfants d'ouvriers et de personnels de service ; elle implique, en effet, une certaine proximité culturelle avec l'école. On peut supposer qu'il existe chez eux souvent des pratiques familiales d'apprentissage précoce de la lecture, accompagnées d'une assez bonne connaissance des mécanismes scolaires, celle-ci permettant de faire jouer l'exception, c'est-à-dire de contourner la règle.

Pourtant cette stratégie est une grande partie mise en échec et la cohorte des enfants d'employés en retard tend, en cours de scolarité, à rejoindre celle des enfants d'ouvriers. Une étude de flux, analysée par Baudelot et Establet[2] le montre clairement. Ainsi, au début de la scolarité primaire étaient en avance :

> 32,6 % des enfants de cadres
> 23,5 % des enfants d'employés
> 18,2 % des enfants d'agriculteurs
> 17,1 % des enfants d'ouvriers qualifiés
> 15,8 % des enfants de patrons
> 12,3 % des enfants d'ouvriers spécialisés

Mais à la fin, seuls sont en avance :

> 21,8 % des enfants de cadres
> 9,8 % des enfants de patrons
> 9,0 % des enfants d'agriculteurs
> 5,9 % des enfants d'employés
> 4,1 % des enfants d'ouvriers qualifiés
> 2,7 % des enfants d'ouvriers spécialisés.

Quittent donc à l'heure (11 ans) ou en avance le Cours Moyen 2e année :

> 36,5 % des enfants d'ouvriers spécialisés et de manœuvres
> 43,9 % des enfants d'ouvriers qualifiés et contremaîtres
> 50,3 % des enfants d'agriculteurs
> 51,6 % des enfants d'employés
> 63,6 % des enfants de patrons
> 77,1 % des enfants de cadres.

Alors que 1 enfant d'employé sur 2 quittera l'école primaire à l'heure ou en avance, près des deux tiers des enfants d'OS seront en retard.

Pourtant notre échantillon présente des caractéristiques un peu différentes, mais il faut souligner que nous sommes, dans notre étude, au niveau du Cours moyen 1re année. S'il est vrai que les

---

2. C. Baudelot, R. Establet, *L'école primaire divise*, Maspero, 1975.

redoublements sont plus massifs en Cours Préparatoire et en Cours Moyen 2ᵉ année, les réussites constatées ici peuvent s'atténuer au moment des dernières décisions d'orientation concernant le passage du primaire au secondaire.

En effet, lors de la description de notre échantillon, nous avons constaté que :

Si quasiment aucun élève d'origine populaire n'est en avance, les trois quarts des enfants d'employés sont ici à l'heure, proportion nettement plus forte que dans le panel. Alors que seulement la moitié des enfants d'ouvriers et uniquement 1/3 des enfants de personnels de service sont à l'heure dans notre étude, tout comme dans le panel.

TABLEAU 30. — *Répartition des effectifs d'élèves par catégorie socioprofessionnelle et par résultats scolaires*

CSP	Résultats			
	Mauvais	Moyens	Bons	Total
Personnels de service	10 42 %	11 46 %	3 13 %	24 100 %
Ouvriers	10 23 %	28 65 %	5 12 %	43 100 %
Employés	5 24 %	14 67 %	2 10 %	21 100 %
Cadres moyens	4 14 %	18 62 %	7 24 %	29 100 %
Artisans	2 15 %	7 54 %	4 31 %	13 100 %
Cadres sup./ Prof. lib.	6 14 %	21 49 %	16 37 %	43 100 %
Total	37	99	37	173

Car globalement, bien que les employés tentent de détourner leur destin scolaire à l'aide d'une stratégie d'investissement scolaire, la scolarité de leurs enfants a tendance à se solder globalement par un même échec à la fin du primaire.

Cette stratégie et cet échec illustrent bien les contradictions de la position des employés et l'ambiguïté de cette catégorie sociale. Ainsi, leur investissement scolaire, stratégie par excellence de classe moyenne[3] (que nous développerons en traitant des cadres moyens)

3. P. Bourdieu, Avenir de classe et causalité du probable, *Revue française de Sociologie*, xv, 1974.

ne peut se réaliser qu'au prix d'un effacement, d'une discrétion, attitude spécifique, elle, des classes populaires.

Si l'on analyse ces comportements à la fois en fonction de l'appartenance sociale et des résultats scolaires, on constate que parmi les bons élèves, les enfants d'employés adoptent un comportement relativement atypique : la réussite scolaire au lieu de leur permettre des infractions au rituel de la classe (indice d'une bonne adaptation comme nous l'avons vu dans un chapitre précédent) les pousse, au contraire, à une plus grande prudence. Malheureusement, cette double partition de notre effectif ne permet que des hypothèses prudentes, en raison de la faiblesse de l'effectif (2 élèves).

En effet, ces bons élèves ne se hasardent plus du tout dans des interventions spontanées ou insistantes. Loin de leur donner une assurance supplémentaire dans l'interaction verbale, leur succès scolaire semble correspondre à une conscience encore plus grande de l'écart culturel.

TABLEAU 31. — *Répartition du mode de prise de parole des enfants d'employés en fonction des résultats scolaires*

	Indicateur		
Résultats	Interventions spontanées	Interventions insistantes	Total des interventions
Bons			6,00
Moyens	0,30	0,68	13,28
Mauvais	0,24	0,24	9,95

Les enfants d'ouvriers, eux, quand ils sont bons élèves ont un comportement différent : leur total de prise de parole fait plus que doubler par rapport aux fils d'ouvriers ayant de mauvais et moyens résultats, dépassant même celui des bons élèves et celui des enfants de cadres moyens en général.

TABLEAU 32. — *Répartition du total des interventions en fonction des résultats scolaires et de la catégorie socioprofessionnelle*

	CSP					
Résultats	Personnels de service	Ouvriers	Employés	Cadres moyens	Artisans	Cadres supérieurs/ Professions libérales
Bons	10,27	17,05	6	14,43	25,14	17,18
Moyens	7,96	8,80	13,28	16,11	10,06	14,48
Mauvais	9,16	6,80	9,95	14,93	6,75	7,72

[1] F. de Snedecor du tableau : 7,56, significatif à 1 %.

Ils interviennent spontanément 3 fois plus et 10 fois plus souvent avec insistance que quand ils sont mauvais élèves.

TABLEAU 33. — *Répartition des prises de parole spontanées et insistantes des enfants d'ouvriers en fonction de leurs résultats scolaires*

	Indicateur	
Résultats	Interventions spontanées	Interventions insistantes
Bons	0,90	2,10
Moyens	0,25	0,47
Mauvais	0,36	0,21

On observe donc une véritable coupure parmi les enfants d'ouvriers entre les comportements des bons élèves et ceux des élèves moyens ou mauvais.

Devant ces résultats, deux sortes d'hypothèses peuvent être émises :

— Soit ces cas correspondent au comportement d'une fraction très précise des classes populaires, dont le capital culturel se rapproche de la position des classes moyennes, grâce à des actions d'autodidaxie, de militantisme ou de formation permanente par exemple, qui représentent certaines des voies d'accès à une position culturelle plus élevée, tout en favorisant parallèlement souvent une forte adhésion à l'ensemble des valeurs du système scolaire. Cette fraction se situe souvent dans une trajectoire de mobilité sociale pour laquelle le capital scolaire s'avère strictement nécessaire.

— Soit la réussite scolaire de ces quelques enfants d'ouvriers est particulièrement valorisante pour les enseignants, les renforçant dans le mythe de l'école égalitaire et consacrant ainsi à la fois l'utilité de leur rôle social et leur réussite personnelle ; une relation particulièrement gratifiante ne s'enclenche-t-elle pas alors, et ne s'entretient-elle pas de part et d'autre ?

Ces deux hypothèses ne s'excluent d'ailleurs pas. On retrouve dans ce profil, le portrait que R. Hoggarth dépeint à propos du bon élève d'origine ouvrière — le boursier.

« Ce qui n'a pas changé en tout cas, c'est que le boursier reste soumis à la hantise de bien faire et même de "se faire bien voir" du professeur après avoir su plaire à l'instituteur... Payant ses études avec son intelligence... il est porté à prendre ses professeurs terriblement au sérieux parce qu'il voit en eux les comptables du "capital de matière grise"... Il s'ensuit que même si sa famille ne le "pousse" pas beaucoup, c'est lui qui "se pousse" de toutes ses forces et au-delà de toute mesure... Il commence à se représenter la vie, à l'infini, comme une course de haies, une succession d'obstacles qu'il faudra franchir en apprenant à thésauriser et à faire fructifier son capital scolaire...

« Le boursier est le produit le plus pur du système scolaire : le bon élève, l'élève qui "marche bien" est celui qui répond consciemment et passivement aux exigences de l'Ecole »[4].

Lorsqu'ils sont de bons élèves, le coefficient de rentabilité des demandes d'intervention des enfants d'ouvriers tout comme celui des enfants d'employés, est assez élevé ; il est équivalent et même supérieur à celui de la moyenne des bons élèves ; en revanche, celui des bons élèves fils de personnels de service s'effondre, lui, totalement.

TABLEAU 34. — *Répartition et rentabilité*
des demandes d'interventions des bons élèves
en fonction de la catégorie socioprofessionnelle

Indicateur	Personnels de service	Ouvriers	Employés	Cadres moyens	Artisans	Cadres sup./Prof. libérales	Bons élèves
Total des interventions	10,27	17,05	6	14,43	25,14	17,18	16,80
Total des interventions reprises	1,2	4,95	1,87	5,26	6,14	3,70	4,24
Coefficient de rentabilité des bons élèves	1/8,5	1/3,4	1/3,2	1/2,74	1/4,09	1/4,64	1/4
Coefficient de rentabilité de l'ensemble de la CSP	1/5,7	1/5	1/5,02	1/4,17	1/3,97	1/5,57	—

Il semble donc que pour les élèves des classes populaires à l'exception toutefois des fractions les plus basses, la relation avec l'enseignant s'améliore en fonction de la réussite scolaire et indépendamment du comportement de l'enfant lui-même.

4. R. Hoggarth, *La culture du pauvre*, Editions de Minuit, 1975, préface de J.-C. Passeron.

Suivant l'expression reprise et démontrée par C. Chiland[5] : « A l'école primaire le riche devient de plus en plus riche, le pauvre de plus en plus pauvre », car loin d'aller dans le sens d'une égalisation des chances, le comportement des instituteurs tend à renforcer les bons élèves quelle que soit leur origine sociale, à l'exception de ceux dont les parents sont personnels de service. Car il semblerait que les enseignants ne favorisent l'expression des enfants de classe populaire que quand leur réussite est établie et vraisemblable[6]. Puisque les enfants de personnels de service ont pour l'ensemble de leur catégorie 1 chance sur 5,7 d'être repris, alors qu'ils n'ont plus qu'une chance sur 8,5 quand ils sont bons élèves. Ce résultat, étonnant, pose clairement le problème de la tolérance et celui des phénomènes d'attraction-répulsion[7], jouant tant au niveau verbal que non verbal dans la relation scolaire.

B | LES MODALITÉS DE L'EXCELLENCE SCOLAIRE

D'une façon générale, les profils des bons élèves des différentes catégories socioprofessionnelles sont loin de se superposer. En effet, le total des interventions varie dans un rapport de 1 à 4, le total des interventions reprises de 1 à 5, les interventions spontanées de 0 à 2,65 et les interventions insistantes de 0 à 2,1 (cf. tableau 35).

Retraçons le profil des bons élèves suivant la méthode adoptée plus haut pour positionner les différentes catégories socioprofessionnelles les unes par rapport aux autres en fonction des indicateurs observés.

---

5. C. Chiland, *L'enfant de 6 ans et son avenir*, PUF, 1971.

6. On observe le même phénomène dans la célèbre expérience de Rosenthal et Jacobson « Pygmalion à l'école ». Alors que les résultats des enfants de la minorité mexicaine (les chicanos) se sont effectivement améliorés conformément à la prédiction positive d'un test d'intelligence passé fictivement en début d'année, les enseignants ne reconnaissent nullement leurs progrès, dans leurs appréciations portées sur ces élèves en fin d'expérimentation. Rosenthal et Jacobson, *Pygmalion à l'école*, Paris, Casterman, 1975.

7. Un langage non verbal de classe : les processus d'attraction-répulsion des enseignants à l'égard des élèves en fonction de l'origine familiale de ces derniers. D. Zimmermann, *op. cit.*

L'école primaire au quotidien

TABLEAU 35. — *Modalité des prises de parole des bons élèves par catégorie socioprofessionnelle*

	Catégories						
Indicateurs	Moyenne des bons élèves	Personnels de service	Ouvriers	Employés	Cadres moyens	Artisans	Cadres sup./Prof. libérales
Total des interventions	16,80	10,27	17,05	6	14,43	25,14	17,18
Total des interventions reprises	4,24	1,20	4,95	1,87	5,26	6,14	3,70
Interventions insistantes	1,11	0,47	2,1		1,83	0,96	0,81
Interventions spontanées	1,26	0,60	0,90		2,60	1,60	0,88
Interventions hors contexte	0,36	0,07	0,28	0,37	0,20	1	027
Interventions provoquées	0,26	0,13	0,14	0,50	0,29	0,27	0,27

Le graphique permet les constats suivants :

1 / Les profils des bons élèves ne sont pas homogènes.

2 / La hiérarchie des profils varie en fonction de la catégorie socioprofessionnelle.

3 / La comparaison avec le profil global des catégories socioprofessionnelles montre que :

— les bons élèves fils d'ouvriers changent nettement de place et rejoignent la position des enfants de cadres moyens ;

— les bons élèves enfants de cadres supérieurs-professions libérales gardent une position médiane ;

— les bons élèves enfants d'employés se replient dans la position la moins participante ;

— quant aux bons élèves enfants de cadres moyens et d'artisans ils gardent leur position avantageuse.

La réussite n'égalise donc pas complètement la participation au réseau principal de communication et n'est synonyme d'un comportement unique, ni du côté des enseignants (nous l'avons vu à propos des interventions reprises) ni du côté des élèves. Suivant leur appartenance sociale, les élèves adoptent des comportements différents ; on ne peut donc confondre sous une seule et même entité la notion de bons élèves[8].

8. Tout en gardant à l'esprit que la moitié des enfants de cadres supérieurs/professions libérales sont bons élèves.

TABLEAU 36. — *Position relative des bons élèves par catégorie socioprofessionnelle*

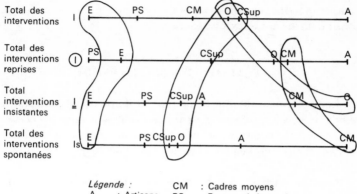

Légende :
A : Artisans
O : Ouvriers
E : Employés
CM : Cadres moyens
PS : Personnel de service
CSup : Cadres supérieurs/Professions libérales

Ces différentes modalités de l'excellence scolaire, posent le problème des liens entre compétence et performance. Comme nous l'avons vu : à un même niveau de compétence correspondent des types différents de performances. La réussite scolaire peut donc se manifester et s'acquérir de manière différente.

L'identification précise des comportements des bons élèves en fonction de leur origine sociale permet donc de mieux cerner la position de chacune des catégories sociales. Ainsi, les stratégies générales de prudence évoquées dès le début de l'analyse se distinguent entre elles. On peut faire l'hypothèse qu'elles se caractérisent de part et d'autre par :

— un « conformisme[9] passif » dans le cas des enfants d'employés et de personnel de service pour qui l'adaptation scolaire exige un abandon des valeurs propres parce qu'elles sont soit trop éloignées (dans le cas des personnels de service) soit trop incertaines car à la fois proches et lointaines (dans le cas des employés) ;

— un « conformisme actif » des enfants d'ouvriers qui, en cas de réussite, changent carrément de position.

9. Nous reprenons ici l'expression d'Hoggarth pour caractériser un certain nombre d'attitudes des classes populaires.

Ce conformisme « expression du plus faible dans la stratégie des rapports de force »[10] situe donc les enfants des classes populaires comme en partie, extérieurs au réseau principal de communication, contrairement à d'autres catégories.

C | LE TEMPS DU MALENTENDU

Comportement de retrait, de repli et d'attente, et pourtant le temps de l'école primaire n'est-il pas avant tout pour les classes populaires l'époque et le lieu spécifique des apprentissages fondamentaux : apprendre à lire, à écrire, apprendre l'orthographe et le calcul[11] ?

La faible participation des enfants de classes populaires et leur effacement ne traduisent donc pas initialement un désintérêt, un désinvestissement vis-à-vis de l'école primaire comme un certain nombre d'auteurs l'ont bien hâtivement écrit, mais plutôt une attitude réactionnelle de défense devant une situation contradictoire[12].

Car cette polarisation sur les apprentissages fondamentaux tend à écarter et à annuler les autres objectifs de l'école primaire orientés autour de la socialisation, éloignant ainsi les classes populaires à la fois de l'institution et de ses différents acteurs, tant des enseignants que des autres utilisateurs de l'école primaire issus des classes favorisées ; car ces derniers, tout comme les enseignants, attribuent autant d'importance aux différentes fonctions de l'école primaire, comme par exemple le développement affectif de l'enfant, ou les expériences relationnelles.

Ainsi les classes populaires dans leur demande à l'égard de l'école se trouvent-elles placées dans une position ambiguë et contradictoire, exigeant et rejetant en même temps l'institution. A leurs yeux, l'école primaire est reconnue et valorisée dans une seule

---

10. S. Mollo, *Les muets parlent aux sourds*, Casterman, 1975.
11. Ce que démontrent les études de J.-P. Courtois et G. Delhaye d'une part et celles de N. Zobermann, à partir d'interviews portant sur la représentation des objectifs de l'école maternelle et de l'école primaire dans différents milieux sociaux : J.-P. Courtois, G. Delhaye, L'école : connotation et appartenance sociale, *Revue française de Pédagogie*, n° 54, janv.-févr.-mars 1981 ; N. Zoberman, Les attentes des parents face à l'école, *Cahiers du CRESAS*, n° 9, 1973.
12. J.-P. Terrail, Familles ouvrières, école, destin social, *Revue française de Sociologie*, XXV, 1984.

de ses fonctions « *sa fonction instrumentale* » mais comment et pourquoi séparer, délimiter précisément chacune des fonctions de l'école ? La transmission des savoirs n'est guère isolable de ses modalités de transmission qu'elle se nomme ici ou là, suivant le cadre de référence, dressage, inculcation idéologique ou éducation.

Pour comprendre l'attitude des classes populaires, il faut se référer aux sinuosités et aux détours d'un discours qui ne parle de l'école[13] qu'à travers un grand embarras, mais celui-ci situe pourtant bien les termes de l'enjeu.

L'école primaire représente la partie du système scolaire que ces parents ont eux aussi connue ; c'est donc autour des personnages et des méthodes de l'école primaire que va s'organiser leur représentation globale de l'école ; à l'opposé d'autres classes sociales, qui relativisent ce segment du système scolaire par rapport à tous les autres (l'école maternelle en amont et en aval le lycée, l'université, les grandes écoles) qu'ils ont pu fréquenter, connaître ou dans lesquels leur trajectoire de mobilité sociale semble les projeter.

Ici l'école primaire sera l'axe central, l'expérience nodale, tout autre segment du système scolaire ne prendra son sens que par référence à lui : c'est pourquoi l'école maternelle est considérée avant tout comme une préparation à l'école primaire, quant à la scolarité secondaire, elle est suspendue à la réussite de l'école primaire.

Le temps de l'école primaire n'est donc pas un temps marginal, mineur parmi les temps scolaires, il est vécu comme essentiel quant à sa réussite et « princeps » quant à la compréhension et à la représentation du système éducatif.

Important dans le poids relatif des différents temps scolaires, le temps du primaire sera aussi le temps le plus facilement légitimé par sa spécificité scolaire car moins directement soumis à l'horizon du travail productif que la formation professionnelle[14]. L'action de l'école, comme lieu des apprentissages de base, sera ici acceptée, demandée, voire requise.

Mais la demande d'apprentissages fondamentaux est souvent

---

13. Nous ferons référence ici essentiellement à deux études, celles de : J.-M. de Queiroz, *La désorientation scolaire*, thèse de 3ᵉ cycle, 1981 ; E. Tedesco, *Des familles parlent de l'école*, Casterman, 1979.
14. A. Willis, L'école des ouvriers, in *Actes de la Recherche en Sciences sociales*, nov. 1978, n° 24.

formulée autour d'une figure symbolique « le passé », passé scolaire dont le souvenir s'inscrit essentiellement dans le cadre d'une école dite traditionnelle qu'ont connue les parents.

Ne nous y trompons pas, dans le discours des parents, le constant retour au passé, si ce n'est le recours au passé, pour formuler ce que devrait être l'institution scolaire, ne traduit pas le souvenir d'un monde idyllique : la règle était dure, mais elle était claire, précise et surtout en accord avec le mode d'éducation familiale. A leur époque, il y avait homogénéité des modes de socialisation.

Règle morale, règle scolaire et règle familiale se confondaient dans une même tactique disciplinaire. Parallélisme et conjugaison des différents temps sociaux[15] permettaient à chacun de situer précisément les différentes instances de socialisation : la famille (parents, grands-parents) le maître, le groupe de pairs. L'objet de l'école et de l'instruction, dans sa formulation nostalgique et passéiste, est ainsi reconnu dans la mesure où il ne recouvre pas le domaine de l'éducation familiale, et surtout ne s'oppose pas à lui.

Or, précisément, la répartition des rôles et la délimitation du pouvoir de chaque instance de socialisation peuvent devenir de véritables enjeux, entre les familles populaires et les enseignants. Car des conceptions différentes de l'enfance s'opposent à travers les représentations respectives du rôle de l'institution scolaire : pour les parents des classes populaires, l'exigence des apprentissages fondamentaux passe par la reconnaissance implicite du caractère spécifique et professionnel de l'activité enseignante. Aspect auquel les enseignants sont d'ailleurs particulièrement sensibles.

Mais les modalités de cette reconnaissance marquent bien les distances qui séparent les fractions des classes populaires entre elles et vis-à-vis de l'école, car elles expriment pleinement à la fois la proximité et l'écart des éthos culturels et la dissymétrie de la relation école-famille.

Ainsi, quand les parents n'interviennent pas directement sur ce qui se passe dans l'institution scolaire[16], un double effet de la dissymétrie se manifeste à la fois par une légitimation du fonctionnement scolaire, mais aussi par une désorientation[17]

---

15. F. Zonabend, *La mémoire longue*, PUF, 1980.
16. E. Tedesco, *op. cit.*
17. Suivant l'expression de J.-M. de Queiroz, *op. cit.*

devant celui-ci. Il y a à la fois acceptation du verdict scolaire et négation de celui-ci.

Mais, suivant l'écart culturel, l'attitude des uns et des autres est différente ; ainsi les employés, qui certes « restent sur le pas de la porte »[18] en venant chercher leurs enfants comme l'ensemble des parents de classes populaires, sont néanmoins qualifiés de « souriants » par les enseignants. « Les parents employés représentent pour la plupart ceux que l'on a envie d'aider », « ils sont réceptifs », « il y a des familles qui avouent leur ignorance », « on vous dit dans telle situation, j'hésite, j'aime mieux demander conseil, c'est volontiers qu'on leur répond et qu'on les aide ».

Cette laborieuse et constante tentative d'adaptation aux normes de l'univers scolaire peut aller jusqu'à des positions particulièrement conformistes, disent les enseignants à propos des parents : « Ils trouvent tout bien sans question », « ils boivent ce que je dis », « c'est tout », « jamais de refus de leur part », « il y a chez eux un très grand respect de l'école, ils sont presque trop d'accord ».

Ainsi aux écarts que nous avions observés entre les comportements des enfants d'ouvriers et d'employés correspond un décalage parallèle dans les positions des parents : plus proches de l'univers culturel scolaire, les employés sont d'autant plus fortement conscients de l'écart qui les en sépare, abdiquant presque leur identité dans une stratégie d'adaptation. Alors que les fractions populaires les plus éloignées de l'institution scolaire s'opposeront nettement. C. Petonnet dans son *Ethnologie des banlieues* cite ainsi cette mère d'élève : « ... mais à l'école, à ce qu'il paraît qu'ils sont durs. On m'a convoquée, je leur ai dit : vous avez vos méthodes ? appliquez-les. Moi j'emploie les miennes, des vieilles, mais je ne m'en plains pas. Alors faites ce que vous voulez, mais ne mélangez pas tout, l'école c'est l'école, la maison c'est la maison »[19].

Que l'on considère le conformisme des parents employés ou le rejet massif du sous-prolétariat, on discerne bien ici l'enjeu. La

---

18. J. Pacaud-Breton, *Les parents et l'école maternelle*, thèse de 3e cycle, 1981. Dans ce travail, dont nous citerons un certain nombre de résultats tout au long de l'interprétation, l'auteur analyse l'attitude des parents à l'égard de l'école à travers la représentation qu'en proposent les enseignants. En effet à l'école maternelle, il est obligatoire de venir chercher les enfants, ce moment de rencontre institutionnel est donc décrit par les enseignants pour situer le type de rapport et de contact qui s'établissent avec les parents. Bien que située au niveau de la maternelle, cette étude nous permet de comprendre le rapport qu'entretiennent les instituteurs avec les parents de différentes classes sociales.

19. C. Petonnet, *On est tous dans le brouillard, ethnologie des banlieues*, Ed. Galilée, 1979.

négociation des stratégies éducatives n'est qu'une des transpositions de la confrontation, la défense ou l'affirmation d'une identité culturelle et sociale face à l'institution scolaire.

Les difficultés et les contradictions de cette confrontation caractérisent la position des différentes fractions des classes populaires en fonction de leurs trajectoires et itinéraires sociaux plus qu'elles ne signifient un rejet dû à un mythique « instinct de classe »[20].

Cette même opposition peut se traduire dans la banalité du quotidien scolaire et placer ainsi les enfants dans une position conflictuelle : ainsi pendant une leçon de vocabulaire, à propos des « repas »[21] s'instaure le dialogue suivant :

	Yannick : Il a copié sur moi.
	L. Ch. : oui.
(Ecrit le menu au tableau) Haricots verts : qu'est-ce que tu veux voir Jean-Marc ?... Bon y'a les vins, les vins on en parlera après. Tout d'abord faudrait p'têtre qu'on sache le nom des repas qu'on fait dans une journée. Car on fait plusieurs repas alors, le premier repas de notre journée, qu'est-ce que c'est Alain.	Brouhaha
	A. : Un repas simple.
Non, attends, tu as mal compris ou c'est moi qui me suis mal exprimée ; le premier repas que l'on fait dans notre journée, lorsque tu t'lèves, quand tu vas à l'école ; alors Pascal	Es. : Madame, oh oui.
	P. : Le déjeuner.
	et, madame... le petit déjeuner.
Le petit déjeuner, ça c'est le repas du... matin et ensuite, il y a un autre repas vers quelle heure et qui s'appelle comment, Laurent.	Es. : matin.
	Es. : Vers midi midi et demie.
	Laurent : Le déjeuner.
(118) C'est bien, qui s'appelle le déjeuner.	

---

20. Sur lequel se basent K. Wagner et R. Warck, dans leur thèse : *Les représentations de l'école chez les ouvriers aujourd'hui*, thèse 3ᵉ cycle, 1977.
21. Cette leçon a été enregistrée lors de nos observations de classe.

La plupart d'entre vous ont fait des menus de... déjeuner, à moins que vous n'ayez pris le menu de Noël qui soit alors le repas du... comment ça s'appelle

Es. : Soir.

c'est le

Es. : Réveillon.

puis il y a un autre repas

à quatre heures.

oh, à quatre heures, c'est pas tout à fait un repas, comment ça s'appelle à quatre heures pour ceux qui le goûter... y' a d'autres noms quoi d'autres encore

Es. : Le goûter.

J.-Marc : Le casse-croûte (rires).

Oh non ça se situerait plutôt, Jean-Marc, écoute un peu, ça se situerait plutôt le matin pour eux, pour les gens qui travaillent dur et qui ont l'habitude de manger quelque chose vers dix heures : alors quelquefois on a trouvé que ça s'appelait le goûter ; ça s'appelle encore comment, il y a d'autres noms (Y) oui mais

Y. : Le quatre heures.

l'goûter c'est déjà mieux ; qui connaît autre chose là ?

Marc L. : la pause.

Oh, mais la pause c'est un peu n'importe quel moment, ça veut pas dire forcément manger quelque chose : la collation.

Ah oui (brouhaha).

Vous avez déjà entendu... bon.

(124) Puis, dis-moi, y'a d'autres repas, au moins y'en a un autre, Audrey ?

Le souper (Audrey).

Le soir, alors toi tu me dis le souper ; Alain, j'veux bien que tu me dises tout. Alors Audrey me dit le souper.

Le dîner.

Le dîner ; alors là y'a deux mots.
Pour le repas du soir, qui est-ce qui
emploie le mot dîner et les autres
qu'est-ce que vous dites : le

Es. : Souper.

En réalité on devrait pas ; on
l'emploie de plus en plus

on mange la soupe.

Oui ça vient de là mais le souper normalement c'est un repas qu'on fait
tard dans la nuit heun, un repas qu'on
fait par exemple quand on est allé au
spectacle et puis quand on a faim
ensuite, c'est un souper ; mais on
l'emploie de plus en plus à la place du
mot dîner ; normalement, le repas du
soir, c'est le dîner seulement on a
l'habitude maintenant de dire le
souper
(129)

Laurent L. : L'autrefois, j'étais
en vacances, eh ben à deux heures du matin eh ben y'a le
souper.

Oui alors quand on rentre du spectacle, évidemment c'est un souper ; bon
alors qui est-ce qui nous rappelle le
nom de tous les repas de la journée,
Hélène ?

Hél. : Le petit déjeuner.

Oui après

déjeuner goûter.

Goûter, on a trouvé un nom.

Ah, le dîner E. : non.

Franck
le goûter ou la collation et puis (H)
le dîner et enfin, si jamais on a encore
faim le souper ; alors maintenant
qu'on sait un p'tit peu les noms des
repas d'une journée on va regarder un
p'tit peu les menus de ces repas.

Franck : La collation.
Hél. : Le dîner.

Hél. : Le souper.   Laur. : J'ai
                     encore faim.

A travers cette énumération de noms de repas et ce dialogue aux
allures surréalistes, deux expériences sociales s'opposent : celui qui
a l'habitude de « la pause » et du « casse-croûte » n'est

généralement guère un habitué des « soupers » d'après spectacle ; or, la maîtresse en choisissant de reprendre l'un plutôt que l'autre, décide de la légitimité de la nomination et donc de l'expérience de chacun. Nous sommes loin ici d'un apprentissage neutre et strict du vocabulaire.

C'est pourquoi dans le quotidien scolaire certains enfants se trouvent, tout comme leurs parents, piégés dans la comparaison de deux légitimités sociales, celle de la famille, celle de l'école.

Le repli, la distance ne sont, dans cette situation contradictoire qu'une stratégie de défense pour maintenir son identité sociale hors du système des normes scolaires.

C'est pourquoi, semble-t-il, la spontanéité des comportements tend à s'éteindre au fur et à mesure de la scolarité, car dès la maternelle[22], cet étalonnage de la légitimité des expériences s'opère, sécrétant parallèlement tactiques de soustractions, d'opposition et stratégies de mise à distance.

D | LES ENSEIGNANTS
FACE AUX CLASSES POPULAIRES

Mais quel sens les enseignants attribuent-ils à ces comportements que nous venons d'observer et d'expliciter ? Nous avons interviewé les instituteurs dont nous avions observé la classe. Or, à propos de l'influence de l'origine sociale sur la réussite scolaire, se dessine un portrait des enfants des classes populaires, non plus à travers nos observations, mais à travers le discours des enseignants. Discours et comportements pourront ainsi être confrontés afin de mieux comprendre les pratiques réciproques des acteurs sociaux que nous observons.

Bien des études attribuent aux enseignants une cécité sociale assez importante. Est-ce l'effet de notre échantillonnage, constitué à partir du volontariat supposé des enseignants qui nous ont accepté dans leur classe, en tout cas, les instituteurs observés apparaissent comme des sociologues fort avertis.

Laissons les parler[23] :

---

22. Comme le montrent certains travaux du CRESAS et de L. Lurçat qui se situent, eux, au niveau de la maternelle *(op. cit.)*.

23. Nous présentons ici des extraits d'interviewx à propos de l'influence de l'origine sociale des élèves sur leur réussite scolaire.

ENTRETIEN N° 1

Ça a quand même de l'importance dans la mesure où les parents fournissent des *centres d'intérêts intéressants.*

Quand ils sont *bien dotés d'argent,* malgré tout ils ont des *avantages.*

Certains sont *de milieux pas culturels* où l'argent ne manque pas, alors *les gosses ont des livres,* on les emmène *aux spectacles, au resto, à la campagne.*

Elles ont *davantage de connaissances* parfois. On *voyage* aussi.

En français ça va un peu de pair, *les textes paraissent plus originaux, elles se sentent plus concernées, elles ont quelque chose à dire.*

Ce que j'attends d'elles ne dépend pas toujours d'elles, *ça dépend du milieu où elles sont,* parfois elles sont un peu victimes : *les centres d'intérêt* qui leur sont proposés *ne sont pas intéressants,* on dépense de l'argent pour des choses qui n'en valent pas la peine.

Critique de la publicité, elles n'ont pas manqué d'apporter des magazines *sans intérêt.*

Les parents ne sont *pas tellement responsables, rentrant tard le soir ils ne peuvent s'occuper que matériellement de leur enfant.* Ils n'ont *ni beaucoup d'argent ni beaucoup de temps à leur consacrer.*

Peut-être qu'*intellectuellement* ils ne sont pas *tellement formés pour.*

ENTRETIEN N° 2

J'essaie d'oublier tout, généralement je ne regarde pas les professions... J'essaie de m'en défaire.

Evidemment ça a une influence *pour le vocabulaire qui est beaucoup plus pauvre.* Comme *ils sentent qu'il leur manque des choses,* même si ils ont des choses à dire, comme ils n'ont pas les mots pour les exprimer, *ils se taisent,* alors déjà à *l'oral ils sont défavorisés.*

Mais si *l'enfant est intelligent* il peut être bon à l'écrit (par exemple le petit Eric[24] : le père et la mère sont dans la restauration), il s'exprime rarement oralement mais c'est un bon élève parce qu'il est intelligent ; *il est un peu complexé* parce qu'il n'a pas ce qu'il faut oralement mais par écrit c'est bien...

Y'a l'assurance... C'est lié, *ils ont du vocabulaire,* donc *ils ont de l'assurance.* Ils sont *plus timides, ils parlent moins facilement.*

Ces qualités (assurance, vocabulaire) les autres les possèdent.

Quoique ça dépend. Thomas a un vocabulaire moyen mais sa famille le flatte, il est plutôt surépanoui, alors il parle même si le mot ne convient pas, la maîtresse rectifiera... il parle plus qu'il ne faudrait.

ENTRETIEN N° 3

Le milieu social influence beaucoup

— *les manières d'être,*
— *la manière de parler,*
— *la manière de s'exprimer,*
— *et les manières même, la politesse, le comportement de l'enfant.*

---

24. Les prénoms des élèves sont des prénoms fictifs.

Le milieu social, l'éducation des parents se reflète dans la manière d'être des enfants et les enfants qui sont perturbés le sont par les *perturbations familiales.* Les enfants qui n'ont pas l'air de réussir en classe, *ont parfois des soucis familiaux* qui les *bloquent* et qui ont d'énormes conséquences sur leur scolarité, même si elles sont d'un bon milieu.

C'est deux points différents.

ENTRETIEN N° 4

Des difficultés de raisonnement, ils raisonnent lentement.

Ils ont *peu de logique.* Enfin pas en math, surtout en français.

Beaucoup ont *des difficultés de langage.* Les parents ne parlent pas français, *ils ont du mal à s'exprimer.*

Les gosses, ils ont *pas le goût de la lecture.* Ils lisent des *trucs* comme Tintin, *c'est tout.*

Quand on leur demande d'imaginer, ils ont *l'impression qu'ils n'ont rien à dire.*

Quand ils parlent en classe, tu peux pas les arrêter sur une faute, car ça les *bloque,* alors je les laisse.

Marie-Caroline *est très à l'aise, elle a bien stimulé ses camarades.*

C'est pareil à l'écrit et à l'oral. Mais à l'écrit, ils sont sortis de leur gaminerie, pour le dernier ils pouvaient choisir — ils ont choisi comment vivre sa vie d'adulte, être une fée.

C'est les deux extrêmes.

On voit qu'ils ont acquis une certaine ouverture.

Mais ils sont trop scolarisés, ils n'imaginent pas autre chose que l'école.

Par exemple la petite Elvire elle a fait un texte sur une autre école, une école ouverte où il n'y aurait pas d'interdictions. C'est déjà quelque chose si maintenant elle voit ça, plus tard, elle verra autre chose.

Je ne m'intéresse pas à leur niveau social, je ne tiens pas à leur montrer mais ça se voit dans leurs réactions, leur spontanéité :

— il y a ceux qui ont une éducation à principes ;
— ceux qui sont voués à eux-mêmes.

Et puis les trois quarts sont *d'un niveau tellement bas,* qu'ils ont souvent des *réactions violentes, d'agressivité.* C'est les vols, les bagarres qui ont lieu dans la cour.

Pour Jamila, Mehdi, Alvaro, c'est *plutôt eux qui arrivent à sortir leurs parents de là.* C'est eux qui font les mots d'absence, mais *ils ne lisent pas,* il n'y a donc pas d'*enrichissement du vocabulaire.*

Mais Florence par exemple, son petit frère a un blocage scolaire dû à un retard de croissance, la mère s'est retournée vers Florence, et celle-ci sent parfaitement le décalage.

Elle est beaucoup moins à l'aise que Marie-France.

ENTRETIEN N° 5

Le milieu a une influence déterminante. L'enfant de milieu aisé, généralement et malheureusement *réussit souvent mieux,* il se produit une sorte de *déséquilibre* entre le milieu aisé et le milieu plus défavorisé.

Notre rôle est justement de compenser ce déséquilibre.

Cette règle générale souffre des exceptions. Vous avez l'exemple de la petite

Angela dont les parents sont portugais, respectivement plâtrier et concierge, et qui travaille très bien.

Le milieu social est très déterminant dans la réussite de l'enfant.

Comment expliquer que certains enfants soient très faibles ?

En faisant abstraction de la situation sociale, ce sont ceux qui au départ ont un *handicap soit intellectuel soit social*, il est évident qu'un enfant comme Patrick dont le père et la mère sont séparés et qui a assisté à des scènes douloureuses dans sa jeune enfance soit *traumatisé*. Au départ je crois qu'il y a un léger *déséquilibre* au détriment de l'enfant d'un milieu le plus défavorisé. A ce déséquilibre s'ajoute un *certain handicap intellectuel*, c'est la *conjonction des deux, facteur social et facteur intellectuel, facteur intelligence* qui fait qu'un enfant réussit plus ou moins bien.

Le facteur intelligence, vous avez pu le constater, c'est malheureux. Il est évident que dans une classe, quand on fait une leçon qui s'adresse à 30 enfants, les 30 enfants ne comprennent pas la même notion ou le même mot. Vous avez vu que certains *finissent mes questions* et que *d'autres ont beaucoup de mal à me répondre*. C'est *la différence des cerveaux* au départ, c'est dû à d'autres facteurs : *une capacité d'attention plus ou moins grande, une capacité d'assimilation plus ou moins rapide.*

Quand on fait une leçon, aussi bien faite soit-elle, vous avez toujours malheureusement une petite frange de déchets, vous avez toujours un *certain pourcentage de gosses qui n'ont pas compris la leçon* ou l'ont comprise *partiellement*.

Le facteur social joue quand même. Vous avez deux enfants de milieux différents qui ont les mêmes difficultés, le soir, *qui a sa mère disponible* et qui *a des parents instruits à la maison* pourra *se faire réexpliquer plus facilement la leçon qu'il n'a pas comprise*, que les parents qui ont une *instruction modeste* ou que les parents qui *travaillent*, et quand les parents rentrent ils sont *fatigués*, ils n'ont pas *la disponibilité.*

Ils ne répondent pas immédiatement aux questions que je pose et ont une mauvaise compréhension des exercices que je propose, en général très courts, très simples et très directement rattachés à la leçon que je viens de faire.

ENTRETIEN N° 6

Evidemment l'origine sociale, c'est important pour :

— *la langue,*
— *le désir de bien travailler,*
— *le désir d'arriver.*

Mais ça peut jouer défavorablement si *un enfant est trop gâté.*

Ce qui est plus important que l'origine sociale, c'est *l'intérêt que les parents portent au travail de leurs enfants*, à condition que ce ne soit pas *déséquilibrant*.

L'intérêt des parents n'est pas lié à l'origine sociale.

C'est certainement un peu lié, il faut nuancer : il peut y avoir des parents (médecins, par exemple) qui ne portent *pas d'intérêt*, car à *l'école primaire c'est pas l'essentiel*, ou bien des parents d'origine sociale assez basse, *qui tiennent*, comme *compensation*, à ce que les enfants réussissent très bien à l'école.

« Quand on aura des livrets », ça fait plusieurs mois que j'entends ça. Elles savent que je vais m'indigner, mais jusqu'à la fin de l'année j'entends ça.

Celles qui parlent le mieux, c'est celles qui lisent, qui font preuve de maturité.

Dans certains foyers, si on donne beaucoup trop d'importance à la vie pratique, quotidienne on *bloque* certains enfants, on fait *obstacle à leur imagination*, on essaye *pas de favoriser un esprit inventif* : « ce que tu dis est idiot ». S'il n'a jamais eu le droit de faire de la peinture, c'est parce que ça salit...

L'influence du milieu social n'est nullement niée, elle est au contraire clairement invoquée et explicitée à travers un triple postulat :

a / le milieu social joue un rôle important, son influence se traduit à de multiples niveaux — conditions matérielles — conceptions éducatives et manière d'être ;

b / le comportement des enfants à l'intérieur de la classe est dû à l'influence du milieu social ;

c / le milieu social des classes populaires est pathogène car il provoque des comportements mal adaptés au fonctionnement scolaire.

Mais reprenons les maillons du raisonnement des enseignants[25] en opposant celui-ci terme à terme, à la vision et aux comportements des classes populaires que nous avons précédemment dégagés, afin de saisir comment se noue la relation classes populaires — institution scolaire.

Ainsi la notion de milieu social semble s'imposer aux enseignants même si « essayant d'oublier tout » « généralement je ne regarde pas les professions... j'essaie de m'en défaire » « je ne m'intéresse pas à leur niveau social, je ne tiens pas à leur montrer, mais ça se voit dans leur réaction, leur spontanéité... »

Sociologues avertis, les enseignants avec mauvaise conscience avouent tout en la niant leur profonde sensibilité aux différences sociales que traduisent « manière d'être, de parler, de s'exprimer et politesse »[26]. Toujours formulé en termes de « milieu social », le raisonnement des enseignants assimile en une même entité milieu social et familial, confondant dans un même type de causalité foyer anormal et milieu populaire. Ils généralisent là un jugement moral

25. Cette représentation pose, de toute évidence, au sociologue une interrogation fondamentale quant à l'utilisation et aux conditions de la vulgarisation des études de sociologies de l'éducation. Même si une thèse récente, soutenue par J.-P. Bourgeois, montre que les travaux de sociologie de l'éducation en tant que tels n'ont que fort peu pénétré le milieu des instituteurs : J.-P. Bourgeois, Comment les instituteurs perçoivent l'échec scolaire, *Revue française de Pédagogie*, n° 62, janv.-févr.-mars 1982.

26. On reconnaîtra ici presque mot à mot la définition que P. Bourdieu donne de l'hexis corporelle dans *Le sens pratique* : « L'hexis corporelle... : disposition permanente, manière durable de se tenir, de parler, de marcher et par là de sentir et de penser. »

sur la structure familiale, qui se situe d'emblée dans une perspective hygiéniste de rééducation propre au XIXe siècle[27].

En effet, ce « milieu familial » ne peut permettre un développement harmonieux de l'enfant puisque ces familles ne peuvent donner ce qui est nécessaire tant du point de vue matériel que culturel ; « elles n'ont pas l'argent, n'ont pas le temps, n'ont pas la disponibilité ». Voici donc les conditions de vie matérielles rapidement analysées et prises en compte, quant aux préoccupations culturelles de ces familles « ils accordent trop d'importance à la vie pratique, quotidienne », « ne favorisent pas un esprit créatif », « on bloque leur imagination », « il n'a jamais eu le droit de faire de la peinture parce que ça salit ! », « peut-être qu'intellectuellement les parents ne sont pas tellement formés pour », « les centres d'intérêt qui leur sont proposés ne sont pas intéressants ».

Ainsi à partir des conditions de vie, un glissement sur le mode d'éducation familial s'effectue, pour caractériser ces « milieux bas », « assez bas », « tellement bas », « plus défavorisés », « pas culturels » où sévissent des « perturbations familiales » qui « bloquent » les enfants.

C'est bien le mode de socialisation et d'éducation dans son ensemble qui est remis en cause, à travers les ambiguïtés d'un vocabulaire pseudo-psychologique, qui tout en individualisant chaque cas le ramène à une place bien précise dans l'échelle sociale. On comprend bien dès lors, pourquoi les familles populaires restent sur le pas de la porte et, prenant leur distance vis-à-vis de l'école, posent des limites à la légitimité scolaire en ne reconnaissant que sa fonction instrumentale.

Qu'en est-il donc quand les enseignants considèrent le comportement des enfants des classes populaires face aux apprentissages scolaires ? Quand on leur demande de décrire les bons et les mauvais élèves, les critères retenus par les enseignants ne remettent jamais en question le fonctionnement scolaire ; le comportement des classes populaires à l'intérieur de la classe est toujours énoncé sur un mode négatif. Cette utilisation de la notion de handicap socio-culturel, figure moderne du discours sur les dons

---

27. I. Joseph, P. Fritsch, Disciplines à domicile, *Recherche*, n° 28, nov. 1977.

et les aptitudes, a fort bien été décrite par Noëlle Bisseret[28] ainsi que par l'équipe du CRESAS[29].

Nous ne la reprendrons pas ici, mais nos observations nous obligent à constater que le raisonnement des enseignants se fonde bien en partie sur leur pratique quotidienne.

En effet, si l'on regroupe l'ensemble des comportements des enfants de classes populaires d'une part (personnels de service, ouvriers et employés) et d'autre part ceux des classes favorisées (cadres moyens, artisans et cadres supérieurs/professions libérales) on constate conformément à la description des enseignants une forte proximité entre le profil moyen des enfants de classes populaires et celui des mauvais élèves d'un côté, et de l'autre entre les enfants des classes favorisées et les bons élèves.

Mais ne nous laissons pas leurrer par la cohérence apparente du discours des enseignants, une analyse précise des comportements des bons et des mauvais élèves nous a montré qu'il n'y avait pas de modèle absolu en la matière, chaque fraction de classe négociait différemment sa position à l'intérieur de l'institution scolaire et ce, tout autant en fonction d'une stratégie que de l'interaction quotidienne.

Or, précisément, dans cette interaction quotidienne qu'est la relation éducative, l'enseignant se trouve directement impliqué en tant que personne, en tant que « sujet ». Il n'est pas neutre, c'est à travers lui, à travers sa personnalité que se noue la relation pédagogique[30].

C'est pourquoi en parlant des bons ou des mauvais élèves[31], les enseignants passent constamment du registre des apprentissages et de l'efficience scolaire, au registre relationnel ; les bons élèves sont évoqués à travers les notions de « sympathie », « passion », « désir », « plaisir », « épanouissement », « vie ». Ils sont alors définis comme le pôle d'une relation gratifiante pour l'enseignant, où son travail se trouve facilité et reconnu par ces élèves « vivants, attentifs, ouverts et autonomes, rapides ».

L'assimilation du comportement global des classes populaires à celui des mauvais élèves permet par contre de n'évoquer qu'en

---

28. N. Bisseret, *Les inégaux et la sélection universitaire*, PUF, 1974, chap. 1 et 2.
29. CRESAS, *Le handicap socioculturel en question*, Ed. ESF, 1978.
30. J. Filloux, *op. cit.* ; A. Abraham, *Le monde intérieur des enseignants*, Ed. Epi, 1972.
31. Nous avons en effet demandé, à l'issue de l'observation, aux enseignants de nous décrire chaque élève. Il s'agit donc ici de quelques extraits de ces interviews.

TABLEAU 37. — *Distribution comparée des comportements observés, regroupés en deux catégories : classes populaires, classes favorisées*

Indicateurs	Catégories			
	Mauvais élèves	*Classes populaires*	*Classes favorisées*	*Bons élèves*
Total des interventions	8,52	9,79	14,84	16,80
Total des interventions reprises	1,46	1,90	3,15	4,24
Total des interventions insistantes	0,51	0,50	1,04	1,11
Total des interventions spontanées	0,35	0,32	1,08	2,65
Total des interventions provoquée.	0,37	0,31	0,27	0,27
Total des interventions hors contexte	0,09	0,15	0,25	0,36
Déplacement	0,39	0,26	0,19	0,17
Déplacement vers la maitressse	0,20	0,20	0,19	0,24
Total des déplacements	0,59	0,46	0,38	0,41
Décrochages	2,78	1,63	1,30	0,89
Bavardages	2,18	1,79	2,16	1,82
Bavardages scolaires	0,36	0,31	0,36	0,38
Agitation	0,62	0,56	0,84	0,88

termes de difficulté d'apprentissages, le malaise que provoque leur comportement chez les enseignants. Manière polie de s'abstraire de l'interaction et de rejeter l'échec du côté de l'élève. Car il ne s'agit plus ici de comportement de séduction mais d'une situation de labeur, de malaise et parfois de violence (que celle-ci soit ou non exprimée) car en fin de compte, non seulement l'élève mais l'enseignant se trouve en situation d'échec[32].

Il y a une profonde ambiguïté dans la position des instituteurs à l'égard des classes populaires : ils sont à la fois gênés et valorisés par la dissymétrie de la relation, tant avec les parents qu'avec les enfants.

Reconnus comme véritables professionnels, maîtres de leur univers, sentiment assez rare pour qu'ils le ressentent fortement, ils excusent certains comportements des classes populaires, tant que ceux-ci expriment ou renforcent l'assymétrie de la relation (à l'instar de leur description du comportement parental). Mais dès que les rapports de pouvoir deviennent plus violents, par exemple à travers l'agressivité manifestée par certains enfants dans la classe, la relation se gâte. Car le mode de l'excuse lui-même n'implique pas une véritable reconnaissance de l'autre, qui seule permettrait de débloquer la relation ; l'indulgence regarde toujours de haut et transpose la relation et le jugement sur un registre moral.

Rapport encore plus intolérable pour les classes populaires qui se trouvent alors complètement désorientées dans une relation dont les termes sont constamment transposés hors du registre perçu comme légitime.

Car tout ici est malentendu, tant au niveau du jugement et des évaluations que des consignes d'exercices.

En un mot, l'interaction scolaire quotidienne est l'objet constant d'un hypothétique décryptage qui place les enfants des classes populaires dans une situation complexe où chaque demande, chaque exigence doit être traduite, négociée tout autant pour préserver sa propre image que pour s'adapter au mode de fonctionnement intellectuel proposé.

---

32. Echec professionnel, ressenti fortement par les enseignants, qui se traduit entre autres par le jeu des demandes de mutation. A. Léger constate ainsi la véritable fuite des enseignants devant leur nomination dans les quartiers populaires. A. Léger, Les déterminants sociaux des carrières professorales, *Revue française de Sociologie*, XXII, 4, janv. 1983. Par contre, interrogeant des instituteurs enseignant dans une zone d'éducation prioritaire, il constate avec M. Tripier qu'une partie de ceux-ci restent volontairement dans ce quartier, « car là au moins on ne leur tombe pas dessus à la moindre faute d'orthographe ».

Les cadres moyens
et l'école primaire

A | LE MÉRITE SCOLAIRE

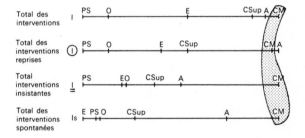

Comme nous le constations à l'issue du chapitre V la position relative des enfants de cadres moyens[1] est assez étonnante.

Ce sont les enfants de cadres moyens qui demandent la parole

1. Les enfants de cadres moyens au nombre de 29 représentent 16,6 % de notre échantillon total, ils sont présents dans six des classes observées. Les quatre cinquièmes des parents cadres moyens travaillent dans le secteur privé. Près de 40 % des cadres moyens ont des fonctions administratives, conformément à leur représentation dans la population active (enquête FQP-INSEE, 1972). Quant aux techniciens, ils sont sous-représentés car ils ne constituent qu'un peu plus du quart du groupe (43 % dans la FQP), par contre les professions intellectuelles et médico-sociales sont, elles, sur-représentées : les professions intellectuelles constituent le quart de notre catégorie (15 % dans la FQP) et les professions médico-sociales 7 % (2,8 % dans la FQP), soit 2 fois et demi plus. Le décalage de l'échantillon s'explique sans doute par la localisation de notre population uniquement en zone urbaine, de plus dans la capitale, où sont concentrés un grand

le plus fréquemment (15,48). Non seulement ils insistent pour l'obtenir (1,60), mais ils la prennent spontanément avec encore plus de facilité (1,69). Ils sont d'ailleurs aisément repris par les enseignants (3,71).

Parallèlement :

— ils s'agitent beaucoup (1,13), c'est-à-dire 2 fois plus que les enfants de personnels de service (0,5), employés (0,53), ouvriers (0,59), et nettement plus que ceux de cadres supérieurs (0,65) et d'artisans ;

— en revanche, ils décrochent relativement peu (moins que les personnels de service (1,85), les employés (1,60), les cadres supérieurs (1,56), les ouvriers (1,50), mais nettement plus que les artisans (0,77).

Ils se déplacent d'ailleurs très peu et ne le font guère que pour aller voir la maîtresse (0,20).

Ils sont donc très présents dans la classe, manifestant une intense activité essentiellement dirigée vers les tâches scolaires.

Les enfants de cadres moyens semblent retrouver à l'école primaire un univers culturel dans lequel ils se situent de plain pied. A l'aise, non seulement ils participent pleinement aux activités proposées par les enseignants, mais ils y introduisent de plus leurs propres centres d'intérêt, et leur rythme à travers ces interventions insistantes et spontanées. A l'aise, ils sont aussi attentifs puisque non seulement ils participent beaucoup, mais ils décrochent peu.

Cette configuration laisse supposer une bonne adéquation de leur comportement au fonctionnement de l'école primaire. Pourtant, ces écoliers ne donnent pas seulement l'impression d'une bonne adaptation aux exigences du jeu scolaire, mais d'un dépassement, d'un débordement de ses règles explicites :

— les interventions spontanées sont leur fait quasi exclusif ;

— l'intensité et la spécificité de leur participation orale se double d'une forte agitation corporelle. Celle-ci ne traduit-elle pas la tension qui sous-tend chez eux l'activité scolaire ? Expression corporelle de cette abondance verbale, elle révèle plus qu'un simple intérêt de l'ensemble des enfants de cadres moyens à l'égard des activités scolaires.

nombre de services tertiaires. Ce biais implique un glissement à la fois de la nature des diplômes de ces parents et de leur origine sociale. On pourrait donc faire l'hypothèse que notre échantillon est recruté dans les fractions les plus scolarisées et les plus élevées de cette catégorie.

TABLEAU 38. — *Graphique représentant la répartition du total des interventions par résultats scolaires en fonction de la catégorie socioprofessionnelle*

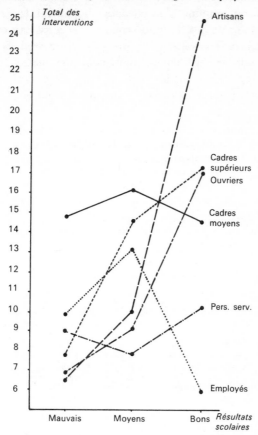

A la fois sûrs d'eux, car seule l'anticipation d'une réaction positive de l'enseignant peut permettre la spontanéité, et inquiets, ils donnent à l'infini les preuves de leur mérite à travers cette insistance et cette bonne volonté. En effet, cette tension et cette surenchère manifestent la quête constante d'une reconnaissance de leur mérite scolaire.

Quels que soient leurs résultats scolaires, ils adoptent ce type de comportement et même deux fois plus fréquemment que les autres catégories socio-professionnelles, quand ils sont mauvais élèves.

Ainsi que le montre le graphique de la page précédente, le total des interventions ne varie guère en fonction des résultats scolaires.

Quand on examine plus en détail les modalités de prise de parole en fonction des résultats scolaires, on constate alors que les enfants de cadres moyens, quels que soient leurs résultats scolaires, effectivement se distinguent nettement des autres catégories sociales, non seulement par la quantité des demandes d'intervention, mais aussi par le type d'intervention.

TABLEAU 39. — *Répartition des interventions insistantes et spontanées*
des enfants de cadres moyens par rapport
aux autres catégories socioprofessionnelles
(Moyenne)

Interventions spontanées

		Résultats		
CSP	Mauvais	Moyens	Bons	Ensemble
Cadres moyens	0,86	1,40	2,60	1,70
Les autres	0,31	0,52	0,94	0,55
Ensemble	0,35	0,64	1,26	0,71

Interventions insistantes

		Résultats		
CSP	Mauvais	Moyens	Bons	Ensemble
Cadres moyens	0,79	1,64	1,83	1,60
Les autres	0,33	0,62	0,94	0,62
Ensemble	0,36	0,77	1,11	0,76

Dans le tableau suivant, nous avons cumulé les interventions insistantes et spontanées, afin de montrer comment globalement le comportement de cette catégorie se distingue de l'ensemble des autres catégories :

TABLEAU 40. — *Indice de facilité de prise de parole situant les enfants de cadres moyens par rapport aux autres catégories socioprofessionnelles*

CSP	Résultats			
	Mauvais	Moyens	Bons	Ensemble
Cadres moyens	1,65	3,04	4,43	3,30
Les autres	0,64	1,14	1,88	1,17
Ensemble	0,71	1,41	2,37	1,47

Cet indice de facilité de prise de parole se traduit ainsi graphiquement, quand on oppose les enfants de cadres moyens à chacune des autres catégories socioprofessionnelles.

TABLEAU 41. — *Graphique représentant les demandes d'intervention insistantes et spontanées en fonction des résultats scolaires et de la catégorie socioprofessionnelle*

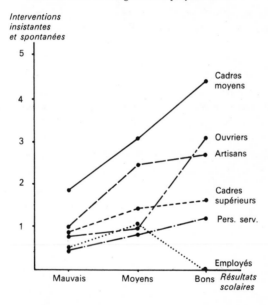

Alors que « l'insistance » et la « spontanéité » sont, dans les autres catégories socioprofessionnelles plutôt caractéristiques des bons élèves, on peut constater que même quand ils ont de mauvais résultats scolaires, les enfants de cadres moyens interviennent spontanément ou avec insistance deux à trois fois plus que les autres.

Mérite moral et mérite scolaire se trouvent confondus dans cette constante participation, une telle performance ne pouvant être que le reflet d'une compétence réelle. On retrouve ainsi les caractéristiques des classes moyennes, telles que Verret les énonce : « L'adhésion intellectuelle aux valeurs scolaires s'y confirme et s'y redouble d'une adhésion morale confinant le mystique[2]. » Reconnaissance de l'institution et de ses règles du jeu qui donne à l'enseignant une position extrêmement gratifiante, car il est là reconnu comme maître de jeu.

Cette position de l'enseignant amplifie la réaction circulaire que nous décrivions comme réseau principal de communication. En effet, constamment légitimé dans son rôle de maître du pouvoir et du savoir, celui-ci autorisera et entretiendra cette relation d'où la grande tolérance des enseignants face à ces comportements qui transgressent la règle explicite.

Ainsi, quels que soient leurs résultats scolaires, les enfants de cadres moyens seront plus facilement repris que les autres (à l'exception des bons élèves fils d'artisans).

Cette insertion globale dans le réseau principal de communication se trouvera encore accentuée en fonction de leurs résultats scolaires. Plus ils sont bons élèves, plus ils sont repris.

Dans le cas de mauvais résultats scolaires, ils le sont deux fois et demi plus souvent qu'un enfant d'ouvrier ou de cadre supérieur et dans le cas de bons résultats, ils le seront même cinq fois plus que les bons élèves enfants de personnels de service.

TABLEAU 42. — *Répartition du total des reprises*
en fonction des résultats scolaires et de la catégorie socioprofessionnelle

	Résultats			
CSP	*Mauvais*	*Moyens*	*Bons*	*Ensemble*
Personnels de service	1,37	1,79	1,20	1,54
Ouvriers	1,00	1,67	4,95	1,83
Employés	1,43	2,72	1,87	2,41
Cadres moyens	2,71	3,13	5,26	3,71
Artisans	2,17	2,50	6,14	3,79
Cadres supérieurs	0,96	2,24	3,70	1,54
Ensemble	1,46	2,26	4,24	2,51

2. M. Verret, *op. cit.*

Le comportement des enfants de cadres moyens devient ainsi le paradigme du comportement scolaire.

TABLEAU 43. — *Profil relatif des différentes catégories socioprofessionnelles par rapport au profil moyen des bons et des mauvais élèves*

	Mauvais élèves							Bons élèves
Total des interventions	8,52	Pers. serv. 8,08	Ouvriers 9,10	Employés 12,10	Cad. sup. 14,53	Artisans 15,09	Cad. moy. 15,48	16,80
Total des reprises	1,46	Pers. serv. 1,54	Ouvriers 1,82	Employés 2,40	Cad. sup. 2,61	Cad. moy. 3,71	Artisans 3,79	4,24
Interventions simples spontanées	0,35	Employés 0,27	Ouvriers 0,34	Pers. serv. 0,34	Cad. sup. 0,63	Artisans 1,30	Cad. moy. 1,70	2,65
Interventions insistantes	0,51	Pers. serv. 0,30	Employés 0,54	Ouvriers 0,56	Cad. sup. 0,77	Artisans 0,90	Cad. moy. 1,60	1,11
Interventions hors du contexte	0,09	Ouvriers 0,09	Pers. serv. 0,17	Cad. moy. 0,18	Cad. sup. 0,20	Employés 0,23	Artisans 0,51	0,36
Interventions provoquées	0,37	Ouvriers 0,36	Artisans 0,36	Pers. serv. 0,27	Cad. sup. 0,26	Employés 0,26	Cad. moy. 0,22	0,26
Déplacements	0,39	Employés 0,29	Ouvriers 0,27	Cad. sup. 0,23	Pers. serv. 0,22	Artisans 0,15	Cad. moy. 0,13	0,17
Déplacements vers la maîtresse	0,20	Pers. serv. 0,11	Employés 0,14	Cad. sup. 0,19	Artisans 0,20	Cad. moy. 0,20	Ouvriers 0,27	0,24
Décrochage	2,78	Pers. serv. 1,85	Employés 1,60	Cad. sup. 1,56	Ouvriers 1,50	Cad. moy. 1,23	Artisans 0,77	0,89
Bavardages	2,18	Cad. sup. 2,28	Cad. moy. 2,15	Employés 2,09	Artisans 1,92	Ouvriers 1,89	Pers. serv. 1,30	1,82
Bavardages scolaires	0,36	Employés 0,50	Cad. sup. 1,00	Cad. moy. 1,03	Ouvriers 1,12	Artisans 1,44	Pers. serv. 1,93	0,38
Agitation	0,62	Pers. serv. 0,50	Employés 0,53	Ouvriers 0,53	Cad. sup. 0,65	Artisans 0,91	Cad. moy. 1,13	0,88

Effectivement, l'ensemble de leur comportement rappelle fortement le profil type du bon élève que nous avons dégagé précédemment.

Pour confronter la norme scolaire aux comportements de chaque catégorie socioprofessionnelle, nous avons, dans le tableau précédant, ordonné celles-ci selon un axe dont les deux pôles sont, d'une part, les résultats des bons élèves, d'autre part, ceux des mauvais élèves. Ces comportements sont ordonnés par ordre croissant ou décroissant selon que les mauvais ont des scores inférieurs ou supérieurs aux bons élèves (les scores des bons et des mauvais élèves ne constituant pas toujours les extrêmes des suites observées).

Comment expliquer cette proximité du profil du bon élève et de celui des enfants de cadres moyens ?

B | DÉVELOPPEMENT DE L'ENFANT ET RÉUSSITE SOCIALE : L'INVESTISSEMENT SCOLAIRE

Intéressés par le type d'activité et de contenu que diffuse l'école, les enfants de cadres moyens s'investissent tout entiers dans l'école primaire. Investissement à la fois psychologique et socio-économique, leur pratique du temps scolaire semble bien être la résultante de l'ensemble des pratiques de leur classe sociale.

« L'intérêt qu'un agent ou une classe d'agents porte aux études dépend de sa réussite scolaire et du degré auquel la réussite scolaire est, dans son cas particulier, condition nécessaire et suffisante de la réussite sociale »[3].

Démunis de capital économique ou culturel, les cadres moyens investissent dans la scolarité de leurs enfants leurs espoirs de mobilité sociale[4]. Aussi n'auront-ils de cesse de faire acquérir à leurs enfants le diplôme dont dépendra leur insertion socioprofessionnelle jugée à travers le double miroir de leur propre passé

---

3. P. Bourdieu, Avenir de classe et causalité du probable, *Revue française de Sociologie*, XV, 1974.
4. « Par l'espoir de la double conversion de leur éthos de classe (moyenne) en éthos de supériorité (scolaire), et de cet éthos de supériorité (scolaire) en éthos de classe (supérieure) » (M. Verret, *op. cit.*).

scolaire et de leurs prétentions sociales. La scolarité de leurs enfants sera un temps placé sous le signe de l'« investissement » et non de l'évidence, il s'agira toujours d'une chance offerte à leurs enfants de « réussir ».

Certes l'école primaire n'est pas un stade décisif pour l'acquisition du diplôme dont dépendra grandement l'avenir de l'enfant des cadres moyens, mais rien n'étant assuré, c'est une sorte de compte épargne qui est ouvert dès le début de la scolarité.

Toutes les instances de scolarisation seront fortement investies et valorisées par les cadres moyens, mais surtout celles du début de la scolarité, car il s'agit bien de prendre un bon départ dans ce qui est vécu comme une course d'obstacles. Tendus vers une trajectoire à l'issue incertaine (puisque près des deux tiers des parents ont été exclus d'une scolarité dans le secondaire supérieur), mais vraisemblable[5], la scolarité sera dès son commencement accomplie dans un esprit de sérieux destiné à accumuler les garanties. « Les enfants seront poussés. » Et de fait, à l'école primaire, le maximum de facteurs culturels et sociaux se conjugueront harmonieusement pour assurer cette anxieuse réussite.

Développement de l'enfant et réussite sociale seront vécus comme indissociables

Le temps scolaire organisera donc le temps de l'enfance des cadres moyens. Cet entraînement permanent au « métier d'écolier » n'a-t-il pas toujours été une des caractéristiques des familles prétendant à l'ascension sociale ? On retrouve par exemple à l'époque de Goblot (l'auteur de l'ouvrage *La barrière et le niveau*[6], dans lequel il décrit admirablement la petite bourgeoisie) des indices de cette enfance surscolarisée des familles de la petite bourgeoisie de l'époque. Le temps de loisirs se confond presque avec le temps scolaire dans la correspondance familiale.

> « Chez les Goblot, les loisirs même sont studieux, le temps est précieux. Ainsi, René adresse à sa sœur Germaine (neuf ans) de quoi "s'amuser" en plus de son travail scolaire : "Ne pourrais-tu pas t'amuser avec Madeleine à faire les exercices suivants qui te montreraient à dessiner : on prend un crayon taillé dans sa main droite et une gomme dans sa main gauche pour effacer jusqu'à ce que ce soit bien fait, puis..." (la lettre est accompagnée de modèles de dessins géométriques).

5. L. Boltanski, *Les cadres, la formation d'un groupe social*, Ed. de Minuit, 1982.
6. E. Goblot, *La barrière et le niveau*, PUF, 1925, réédité en 1967.

« A la génération suivante et au même âge, le fils de Germaine écrira : "Il y a des jours où nous ne nous ennuyons pas. D'ailleurs tante Aurélie tâche de nous distraire. Nous avons fait chacun une page d'écriture et Paul (son frère) a fait des mathématiques" »[7].

Document suranné, peut-être, mais la transposition semble facile avec notre époque, par exemple à travers l'achat de « cahiers devoirs de vacances » et à travers la fréquentation d'un certain nombre d'institutions parascolaires.

Cette polarisation sera d'autant plus intense pour les cadres moyens que pour eux l'enfant est un véritable investissement. Leur ascèse en matière de fécondité, destinée à donner à leurs rejetons toutes leurs chances, se transforme en surenchère et surprotection vis-à-vis de chaque enfant.

« Ce sont les membres des classes moyennes qui sont le plus sensibles à la socialisation anticipée ou à la socialisation rétrospective : leurs membres agissent moins en fonction de leur situation présente que du milieu auquel ils aspirent à appartenir ou de celui dont ils proviennent et où ils souhaiteraient retourner[8].

Objet de soins attentifs, cette éducation centrée sur la réussite scolaire rassemblera parents et enseignants.

C | DE VÉRITABLES PARTENAIRES

Les enseignants seront considérés comme de véritables partenaires à la fois dans l'éducation et l'instruction des enfants.

En effet, les cadres moyens ont à la fois suffisamment de connaissances pour comprendre et soutenir les différentes pédagogies de l'école maternelle ou primaire[9], mais pas suffisamment d'assurance pour se passer de celle-ci. C'est en partenaires respectueux et vigilants qu'ils participeront à la gestion de la scolarité de leurs enfants. Enfants et parents cadres moyens sont bien les interlocuteurs idéaux des instituteurs. Que de convergence, de similitudes et de complémentarité dans leurs discours et comportements respectifs !

7. Extrait de V. Isambert, R. Sirota, La barrière, oui mais le niveau, *Cahiers internationaux de Sociologie*, 1981.
8. A. Touraine, Les classes moyennes, *Encyclopedia Universalis, op. cit.*
9. J.-C. Chamborédon, Le métier d'enfant, *op. cit.*

Interviewés par Ida Berger[10], les deux tiers des instituteurs se situent dans la classe moyenne :

A quelle classe sociale pensez-vous appartenir ?

Classe moyenne/petite bourgeoisie	62 %
Classe ouvrière	11 %
Notion de classe refusée	19 %
Bourgeoisie	8 %

Ils se situent donc d'eux-mêmes dans la même catégorie sociale (en dépit du fait que près des deux tiers des institutrices interviewées par Ida Berger soient issues ou mariées à un cadre supérieur/profession libérale), et, de fait, ils partagent la même vision du jeu scolaire, ainsi que le démontre fort bien Jacqueline Devouassoux dans sa thèse *La petite bourgeoisie et l'école*[11]. Analysant des interviews de cadres moyens du public (SNCF) et du privé (Beghin), elle reconstitue la vision qu'ils ont de leur propre scolarité et de la stratégie mise en œuvre vis-à-vis de leurs enfants. « La croyance dans les valeurs individuelles, les aptitudes et la négation du caractère social de la sélection scolaire permet à chaque parent de jouer avec conviction sa chance pour chaque enfant. »

La vie professionnelle des cadres administratifs moyens du public scandée d'examens et de concours, loin de les dégoûter les conforte plutôt dans cette croyance ; il en est de même pour les cadres moyens du privé. « Les cadres moyens du secteur privé conçoivent l'école comme le lieu où, jeune, on fait ses preuves comme ils les ont faites eux-mêmes dans l'entreprise pour s'élever jusqu'au statut du cadre. Affaire individuelle donc, de travail, volonté et don... Car les cadres moyens du secteur privé nient tout caractère social à la division du travail comme à celle de l'école. »

Il s'agit bien là de tenter sa chance en prouvant son mérite, car tout est possible, mais rien n'est donné.

Quel public pour les instituteurs ! Avec ces enfants, ils seront tout à la fois juges, arbitres de la valeur individuelle de chacun et médiateurs essentiels des apprentissages et même de la réussite sociale des heureux élus.

Condition idéale d'exercice d'une profession dont la fonction est dévalorisée non seulement par le grand public, mais aussi par ses

---

10. I. Berger, *op. cit.*
11. J. Devouassoux-Merakchi, *La petite bourgeoisie et l'école*, thèse de 3e cycle, 1975.

propres acteurs que ce soit au niveau du choix du métier ou dans son exercice. Comment ne seraient-ils pas sensibles aux marques de reconnaissance, d'estime pour leur travail ? Car les cadres moyens participent pleinement non seulement aux valeurs de l'école mais à son fonctionnement en tant que parents d'élèves[12].

« L'intérêt porté aux questions scolaires est donc extrême et les cadres moyens — ceux du public plus encore que ceux du privé — sont directement et personnellement impliqués dans la vie scolaire de leurs enfants. L'école est "la chose" des cadres moyens : ils interviennent, participent, prennent parti, s'identifient. Ils sont de tous les conseils de classe, de toutes les associations de parents d'élèves, les enseignants — qu'ils rencontrent souvent — sont leurs représentants pendant le temps scolaire... toujours partants pour une pédagogie nouvelle qui fera fonctionner au mieux ce bel édifice »[13].

Cette participation est non seulement tolérée, mais souhaitée par les enseignants qui décrivent aussi les parents cadres moyens dans la thèse déjà citée de J. Pacaud-Breton.

En général, les familles cadres moyens sont décrétées « à l'aise ». Les parents (père et mère) « engagent volontiers la conversation » avec les maîtresses lors des entrées et des sorties.

Aux réunions, « ils posent des questions intéressantes » et « intelligentes ». Quand ils entrent dans la classe « il y entrent souvent », ils « respectent les choses » contrairement à d'autres. Ils regardent attentivement « sans tout retourner ni fouiller ». Ils connaissent l'école (les différents locaux) qu'ils ont visitée, où ils entrent pour « aider le personnel le cas échéant » (enfant que l'on conduit aux toilettes, que l'on finit d'habiller...). Les parents (des deux sexes) « savent s'occuper des enfants » : « ils n'hésitent pas à remettre un bonnet, lacer une chaussure, boutonner un vêtement », « sans maugréer » ou « critiquer la maîtresse ou le personnel de service débordés ».

Si certaines familles sont présentées comme moins à l'aise, c'est qu'elles sont « timides », « discrètes ». Elles n'interviennent pas « par délicatesse », « par réserve naturelle ». De toutes façons, elles se révèlent à l'école par d'autres conduites adéquates, par exemple

---

12. La composition sociale des associations de parents d'élèves et plus particulièrement celle de leurs militants, CRESAS, *Ouverture : l'école, la crèche, les familles*, Paris, l'Harmattan-INRP, 1983, tels les délégués de classe, illustre parfaitement cette participation.

13. J. Devouassoux.

en cas d'absence aux réunions, les parents « se sont informés » ou « s'informeront ». A défaut, ils « s'excuseront ». En général, « une collaboration est possible »[14].

Chacun considère donc l'autre comme un partenaire idéal : il n'y a ici ni concurrence ni démission, mais complémentarité. En effet, dans la même recherche, à la question : comment considérez-vous ces parents : à l'aise — pas assez à l'aise — trop à l'aise ?, les instituteurs classent les parents cadres moyens deux fois sur trois dans la catégorie « à l'aise », ce qui les situe dans un juste milieu contrairement par exemple aux parents cadres supérieurs/professions libérales qui, eux, sont estimés deux fois sur trois « trop à l'aise ».

Enseignants et parents se mettent donc réciproquement à l'aise, car la réversibilité de cette relation tient à sa symétrie : chacun reconnaît et valorise l'autre, d'où l'instauration d'une interaction positive entre élèves, enseignants et parents.

L'école primaire sera ainsi pour les cadres moyens le temps scolaire privilégié. Car cette relation deviendra difficile au fur et à mesure de la scolarité de leurs enfants : au niveau du secondaire, puis du supérieur, les exigences des professeurs seront différentes de celles des instituteurs. Il n'y aura plus correspondance entre les éthos culturels des enseignants et des cadres moyens, de plus la structure d'ensemble aura changé ; d'autres se seront pris au jeu du sérieux scolaire et en prenant leur place seront à leur tour devenus des interlocuteurs privilégiés des enseignants.

---

14. J. Breton, *op. cit.*

CHAPITRE VIII

Les artisans
et l'école primaire

A | L'ÉVOLUTION DE LA POSITION SCOLAIRE
DES ENFANTS D'ARTISANS

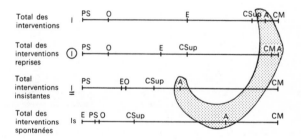

Les enfants d'artisans[1] occupent une position surprenante, nous l'avons vu, parmi l'ensemble des enfants observés dans notre étude.

1. Cette catégorie de notre échantillon regroupe 13 enfants, soit 7,4 % de la population. Le type d'artisanat représenté découle de la structure urbaine parisienne : à côté des activités habituelles telles que boulangerie, boucherie, plomberie, se retrouve l'activité traditionnelle d'un quartier parisien : le travail des peaux. Dans leur ensemble, les chefs de famille à la fois travaillent à leur compte et exercent un métier qui produit ou transforme la matière à l'exception de l'un d'entre eux qui vend des services. Parmi les conjointes (car tous les chefs de famille sont des hommes) 4 sont directement associées à l'activité artisanale puisqu'elles « tiennent la caisse » ou sont vendeuses, 6, soit la moitié, exercent une activité salariée à l'extérieur et généralement

La similitude et la proximité de leur comportement avec celui des enfants de cadres moyens apparaissent tout d'abord très frappantes : très intervenants (15,09), ils sont aussi très facilement repris par les enseignants (3,79), de plus, ils interviennent spontanément presque aussi facilement (1,3) que les enfants de cadres moyens et insistent nettement pour prendre la parole.

De même que dans le cas des enfants de cadres moyens, leur profil est donc très proche de celui des bons élèves.

Surprise donc, mais par rapport à quoi ? La littérature sociologique, tout comme les statistiques de fréquentation scolaire nous ont habitués à situer de manière bien différente cette catégorie sociale.

Reprenons les données de la classique enquête de A. Girard et H. Bastide sur l'avenir scolaire d'une promotion d'enfants ayant quitté le cycle élémentaire après 1961-1962.

TABLEAU 44. — *Répartition d'une promotion sortie du CM2 en 1961-1962, en 1966-1967*

	Orientation					
Origine sociale	Travail	Enseign., Prof. cont.	CEG	Lycée	Total	dont lycée en seconde
Ouvriers	42,8 %	25,5 %	11,8 %	19,9 %	100 %	11,9 %
Artisans commerçants	25,3 —	20,4 —	15,2 —	39,1 —	100 —	21,2 —
Employés	22,7 —	22,6 —	16,1 —	28,6 —	100 —	20,2 —
Cadres moyens	9,7 —	13,4 —	14,8 —	62,1 —	100 —	36,3 —

D'après Girard et Bastide, *Population et Enseignement*, 1970.

Fréquentant deux fois plus souvent le lycée (39,1) que les ouvriers (19,9), ils étaient proches des employés mais cependant loin derrière les cadres moyens qui pour les 2/3 étaient au lycée et avaient moins d'une chance sur 10 d'être au travail.

qualifiée. Seules, 2 mères sont déclarées sans profession. Les artisanats regroupés, ici, nécessitent dans leur ensemble qualification dans le métier et constitution d'un capital économique, mais il est difficile d'en déduire précisément le niveau scolaire ou les filières de formation suivies par les parents à l'exception de l'apprentissage pour l'artisanat d'alimentation. Les petits commerçants, en tant que tels, ne sont donc pas présents dans notre échantillon. Il est important de le préciser, car cela risque d'infléchir les caractéristiques des comportements observés. De plus, les effectifs de cette catégorie sont très faibles, 13 individus observés, soit 7 % de notre population (8 % de la population active globale). L'aspect monographique de cette étude se trouve donc ici nettement accentué. Les interprétations de comportements observés ne peuvent donc être considérées que comme des hypothèses quant à l'évolution des comportements des artisans vis-à-vis de l'école primaire. Notons aussi que sur 13 élèves il y a 11 filles et 2 garçons et qu'ils se répartissent dans 4 classes sur les 7 observées.

Si l'on reprend des données plus récentes, les enfants d'artisans et de petits commerçants se distinguent toujours nettement des ouvriers, ils redoublent au cours préparatoire deux fois moins souvent qu'eux mais deux fois plus que ceux des cadres moyens et quatre fois plus que ceux des cadres supérieurs/professions libérales, ainsi que le montre le tableau suivant, extraits des panels du ministère :

TABLEAU 45. — *Taux de redoublements au cours préparatoire en 1979-1980 (public + privé) d'après le Panel Premier Degré*

Agriculteurs exploitants	Salariés agricoles	Industriels, gros comm.	Artisans, petits comm.	Cadres sup., Prof. libér.	Cadres moyens	Employés	Contremaîtres, ouvr. qualifiés	Ouvriers spécialisés	Ouvriers sans indic.	Personnels de service	Autres catégories	Non actifs prof. non déc.	Total
10,1	27,1	3,5	9,7	2,2	4,2	10,4	14,4	21,7	22,4	21	6	22,6	13,1

Panel Premier Degré SEIS, n° 81, P 05.

Mais dans notre population, les enfants d'artisans ont une réussite bien supérieure : sur 13 enfants observés, 4 se situent parmi les bons élèves, 7 parmi les moyens et 2 parmi les mauvais.

Cette répartition s'apparente fortement à celle des cadres supérieurs/professions libérales : un tiers de chacune de ces catégories se trouve parmi les bons élèves, la moitié parmi les moyens et 15 % parmi les mauvais. Cette distribution étant tout à fait spécifique par rapport aux autres catégories sociales de notre échantillon.

Double décalage, donc, à la fois au niveau du comportement et de la réussite. Considérant que l'ensemble des interprétations proposées pour cette catégorie le sont à titre d'hypothèses, allons plus loin dans l'analyse des comportements observés.

Pour mieux comprendre ceux-ci, nous nous référerons à quelques travaux récents[2] élaborés à partir de la reconstitution de biographies d'artisans, ces recherches ne traitent pas spécifiquement des relations des artisans avec l'école, mais situent celles-ci dans le

---

2. François Gresle, *Indépendants et petits patrons. Pérennité et transformations d'une classe sociale*, thèse d'Etat, PUL, 1980 ; D. Bertaux, I. Bertaux-Wiame, *Transformation et permanence de l'artisanat boulanger en France*, Rapport CORDES, 1980 ; B. Zarca, Artisanat et trajectoires sociales, *Actes de la Recherche en Sciences sociales*, 1979, n° 29.

cadre de la trajectoire sociale antérieure des artisans, eux-mêmes, et de celle qu'ils dessinent pour leurs enfants.

Nous partirons de l'hypothèse principale suivante :

— Les comportements observés semblent indiquer un changement d'attitude des artisans vis-à-vis de l'école, dû aux transformations de la structure socio-économique. La transmission d'un capital pour cette catégorie passe par le détour scolaire, et ce de manière de plus en plus explicite. La proximité du comportement scolaire des enfants d'artisans avec celui des enfants de cadres moyens, reflète ainsi, en partie, la proximité de leur position sociale mais aussi bien des distances.

Empreints de la même conscience que les cadres moyens de la fragilité de leur position sociale et de l'incertitude du patrimoine qu'ils peuvent transmettre, les artisans cherchent lucidement une stratégie permettant à leurs enfants, soit de conserver cette position, soit de l'améliorer mais en tout cas d'éviter la prolétarisation.

On reconnaît bien ici la stratégie des classes moyennes que nous avons explicitées précédemment, mais cette fraction disposait parfois d'un véritable capital économique, alors qu'ici, il s'agit plus spécifiquement d'une restructuration du système des stratégies d'investissement. Car la transmission du capital économique que représente la boutique ou l'atelier se fait de moins en moins souvent de manière directe.

Prenons l'exemple de la boulangerie étudié par D. Bertaux, secteur artisanal qui se maintient solidement mais dont le mode de « transmission patrimoniale » met bien en évidence la situation des artisans face à leurs enfants :

« La transmission des fonds constitue l'un des processus centraux de la reproduction de la forme artisanale. Un fonds bien situé vaut plusieurs centaines de milliers de francs nouveaux ; mais il faut trouver acheteur, et c'est tout le problème... Mais la plupart, à l'approche de l'âge où il faut passer la main, se mettent en quête de successeurs. La difficulté vient de ce qu'en général ils ont fait faire des études à leurs enfants et leur ont donné un métier — un autre métier que celui de boulanger. Ou bien ce sont les enfants eux-mêmes qui — sachant trop bien ce qu'est ce métier — ont refusé d'être placés comme apprentis et qui ont insisté pour continuer leur scolarité ou encore faire un autre métier. Comme chaque famille a fait de même, c'est en vain que l'on cherchera chez tel ou tel collègue le fils formé au métier et qui pourrait, avec l'aide de son père, racheter le fonds que l'on voudrait vendre »[3].

Le fonds est donc bien souvent vendu à un jeune couple dont le mari est ouvrier boulanger.

On voit ainsi dans ce cas précis, que la transmission du capital économique tend à se dissocier de la transmission d'un métier : que l'on considère suivant la classification de B. Zarca, « les artisans héritiers » ou les artisans issus de classes populaires, les uns et les autres privilégient pour leurs enfants une orientation nécessitant l'acquisition de diplômes.

Dans ce cas « lorsqu'un fils de petit patron devient à son tour petit patron, il est probable, s'il reprend l'affaire familiale, qu'il s'occupe de la gestion de celle-ci et ne participe pas lui-même au travail productif, s'il crée sa propre affaire, il reçoit une aide en argent de ses parents »[4].

Dans le deuxième cas, au contraire, les artisans issus des classes populaires, souhaitent plutôt à leur fils d'apprendre un bon métier manuel et de l'exercer en tant que salarié. On retrouve la même constatation chez F. Gresle pour les artisans relieurs.

La réussite scolaire, au niveau de l'école primaire, ne sera donc jamais considérée comme négligeable.

B | AMBIGUÏTÉ ET CONTRADICTIONS

Mais cette conscience de la nécessité d'un « bagage scolaire » n'implique pas la totale adhésion morale et intellectuelle que l'on pouvait rencontrer chez les cadres moyens.

Ici à l'égard de l'école, tout est ambiguïté et contradiction, que ce soit entre discours et pratiques, vécus antérieurs et avenir projeté, univers scolaire et univers professionnel.

Ces diverses instances ne coïncident jamais strictement car la stratégie scolaire fixe dans une sorte d'instantané photographique les contradictions internes d'un itinéraire de mobilité sociale, où les normes et valeurs du temps passé s'opposent à celles du temps, présent ou futur, tout comme dans le cas des classes populaires.

Située dans une stratégie de reconversion, la foi dans l'école est

---

3. D. Bertaux, *op. cit.*
4. B. Zarca, *op. cit.*

une *foi négative*[5] qui s'ancre plus dans un pessimisme de fond sur les autres voies d'ascension sociale dans une structure économique en transformation que dans une foi positive, comme celle des cadres moyens, dont le salut moral, social et culturel semble passer par l'école.

Revenons à leur comportement scolaire quotidien : on peut noter que les enfants d'artisans maximisent le nombre d'interventions hors contexte, 0,51 (2 fois plus que les autres catégories), ce qui ne reflète pas un manque d'attention, puisque nous l'avons vu c'est une des caractéristiques des bons élèves, mais bien plus l'intensité de l'effort d'intégration scolaire.

Cette moyenne est même ici supérieure à celle des bons élèves, tout comme dans le cas des décrochages, car, parallèlement à leur importante participation, les enfants d'artisans décrochent particulièrement peu (0,77) deux fois moins que les enfants de cadres supérieurs/professions libérales (1,56) et nettement moins que les enfants de cadres moyens (1,23) et même moins que les bons élèves (0,89).

Le nombre particulièrement élevé d'interventions hors contexte et la moyenne spécialement faible de décrochages marquent l'effort, la difficulté que requiert cette participation.

Cette difficulté d'adaptation, à un univers culturel relativement différent de l'univers familial, demande une attention soutenue et semble provoquer ces interventions hors contexte.

Cette attention soutenue, pendant les activités scolaires, contraste avec le « désintérêt » attribué aux parents[6] à l'égard de ces mêmes activités.

Mais en fait ce désintérêt n'est qu'apparent car même si les maîtresses décrivent « des parents pressés, souvent absents des rencontres », se « tenant sur le pas de la porte », « évitant les maîtres », « qui usent des horaires à leur convenance », « qui font comme ça les arrange, enfants absents tous les jours de fermeture du commerce, enfants présents les jours de grève », ces comportements interprétés en terme de désintérêt, de négligence par rapport aux enfants, manifestent bien plus des systèmes de valeurs et de mode de vie contradictoires qu'une opposition au fonctionnement scolaire.

---

5. Cf. Devouassoux, *op. cit.*
6. J. Breton, *op. cit.*

Comment expliquer ces contradictions ?

Tout d'abord, ces comportements renvoient à un usage différent du temps : le rapport aux enfants est médiatisé par le rythme de l'activité artisanale, qui n'est lui-même que la conséquence du rapport économique dans lequel s'instaure l'activité artisanale. Le temps quotidien, envahi par l'activité artisanale, ne laisse plus à l'école qu'une place secondaire.

C | UNE VISION INSTRUMENTALE DE L'ÉCOLE

L'école est donc ici considérée comme un *instrument* dont il faut bien se servir. Position utilitariste que supportent fort mal les enseignants.

Mais, contrairement aux ouvriers et employés, les parents artisans/petits commerçants ne sont pas considérés par les enseignants comme étant « mal à l'aise » à l'égard de l'école, mais ils ne sont pas plus situés parmi les parents « à l'aise » qu'incarnent les cadres moyens ; ils sont à la fois décrits comme « trop à l'aise et mal à l'aise », dans les interviews faits par J. Pacaud-Breton.

L'incompréhension est profonde car les enseignants incarnent effectivement pour les artisans à la fois le fonctionnariat et la culture, deux territoires auxquels ils sont étrangers et envers lesquels ils nourrissent autant de mépris que d'envie ; horaires réglés, sécurité d'emploi sont pourtant bien ce qu'ils souhaitent pour leurs propres enfants[7], mais qu'ils reprochent souvent aux enseignants, car à ces privilèges s'ajoutent le droit de grève, les vacances.

Idéologie aux antipodes de celle des petits patrons que sont les artisans. Nulle collaboration à attendre d'eux, ils ne participent d'ailleurs guère aux associations de parents d'élèves ni aux réunions organisées par les enseignants (autant pour des questions de temps, que par distance idéologique).

La faiblesse de l'effectif de notre échantillon et ses caractéristiques incitent à être très prudent dans l'interprétation globale de nos résultats, nous l'avons dit.

Composé essentiellement de filles (11 sur 13) notre échantillon

---

7. F. Gresle et I. Berger notent d'ailleurs qu'une proportion notable d'enseignants est issue de familles ou d'artisans ou petits commerçants.

peut soit traduire à la fois la meilleure réussite scolaire et la plus grande assiduité de celles-ci à l'égard de l'école, soit une stratégie spécifique à l'égard des filles d'artisans. L'insertion sociale de celles-ci — qu'il faut bien poser autant en termes matrimoniaux que professionnels — peut dépendre, en effet plus fortement du diplôme et de la fréquentation scolaire.

Cependant le paradoxe des comportements observés et l'ambiguïté de l'attitude générale des artisans nous incitent à préciser notre hypothèse de départ :

L'ensemble des comportements observés traduit non pas seulement une stratégie de reproduction d'une position sociale (c'est-à-dire un déplacement de stratégie pour maintenir cette position sociale) mais la poursuite d'une stratégie de mobilité sociale dans le cadre d'un itinéraire de mobilité intergénérationnelle. D'autant plus que l'on peut remarquer que, contrairement à la structure traditionnelle de la famille artisane (que l'on a souvent qualifiée d'« équipe de production » car c'est le couple généralement, et parfois l'ensemble de la famille qui participe à l'installation et à la production artisanale), les femmes ne sont ici que pour un tiers d'entre elles insérées dans l'entreprise et déjà une moitié travaille à l'extérieur dans un poste qualifié, par ailleurs 2 mères sont déclarées sans profession par leurs enfants.

Ceci nous inciterait à penser que notre échantillon regroupe un artisanat urbain dont l'installation n'a pas nécessité l'investissement direct du couple tout entier dans la réussite de l'entreprise artisanale (nous sommes face à des couples relativement jeunes puisque les enfants sont d'âge scolaire, donc en période d'installation).

Ce signe de mutation de la structure parentale artisanale[8] parallèle à notre observation de l'évolution du comportement des enfants, pourrait faire penser que la structure urbaine parisienne (de par le prix du marché immobilier dans la capitale et son pouvoir d'attraction de métropole) nous a mis en présence d'une fraction peut-être spécifique, peut-être indicatrice d'un artisanat dont « les agents peuvent surestimer leurs chances et les accroître ainsi réellement » dans la mesure où, issus d'un itinéraire de mobilité intergénérationnelle ascendante réussie, ceux-ci parient tout autant

---

8. Déjà signalé par Gresle, qui montre que les femmes quand elles possèdent une qualification acceptent de moins en moins facilement de s'engager elles aussi dans l'entreprise.

sur leur actuelle position sociale que sur la « pente »[9] de la trajectoire individuelle et collective du sous-groupe auquel ils appartiennent.

S'agit-il donc de caractéristiques spécifiques d'une classe sociale, ou de fraction de classe moyenne en voie d'ascension sociale ?

---

9. Nous empruntons le concept de pente à Bourdieu. P. Bourdieu, Avenir de classe et causalité du probable, *Revue française de Sociologie*, XV, 1974.

CHAPITRE IX

Les cadres supérieurs, professions libérales et l'école primaire

A | RENVERSEMENT DE POSITION

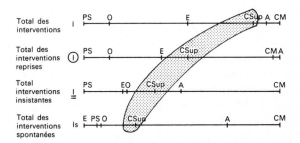

Faisant partie du groupe d'élèves qui demandent le plus souvent la parole et interviennent le plus, ils[1] apparaissent nettement en retrait par rapport aux enfants de cadres moyens et d'artisans.

1. Cette catégorie est constituée de 43 enfants, ce qui représente le quart de notre échantillon. Elle regroupe les fractions suivantes : les professions libérales constituent un quart de ce sous-échantillon, elles sont donc sur-représentées (27 %) par rapport à la FQP (14 %) ; les professions littéraires et scientifiques auxquelles nous avons joint les artistes (7 couples, soit 17 %) sont représentées conformément à la FQP (14 %) ; les cadres administratifs supérieurs (39 % soit 15 couples) sont, eux, légèrement sous-représentés (49 % de la FQP). On peut noter qu'ils sont presque tous issus du secteur privé ; les ingénieurs, aussi, sont légèrement sous-représentés, 17 % soit 7 couples (23 % dans la FQP). Ce sont les catégories dites les plus « intellectuelles » qui sont légèrement sur-représentées dans notre échantillon, tout comme dans le cas des cadres moyens. D'autre part on peut remarquer que, effet contradictoire du niveau élevé de diplômes et de salaires de cette catégorie, 40 % seulement des mères travaillent à l'extérieur du foyer (alors que les deux tiers des femmes de cadres moyens travaillaient).

Baignant dans un univers culturel proche de l'école, ils participent facilement mais, paradoxalement, ils semblent peu impliqués. Car ils insistent deux fois moins que les cadres moyens pour prendre la parole, et se saisissent de celle-ci spontanément encore moins souvent.

Ils jouent donc aisément et simplement le jeu scolaire mais sans plus, sans surenchère, contrairement aux enfants de cadres moyens et d'artisans.

Car on peut noter, par ailleurs, qu'ils sont deux fois moins agités (0,65) que les enfants de cadres moyens (1,13). (Or, nous avons vu que cette agitation était caractéristique à la fois des bons élèves et des cadres moyens, donc des élèves qui jouent intensément le jeu scolaire.)

Leurs interventions en dehors du contexte (0,20) les situent dans une position médiane en compagnie des enfants de personnels de service, de cadres moyens, et d'employés.

Ils ne font pas non plus spécialement l'objet d'interventions provoquées (0,26).

Ce profil les fait osciller du pôle des cadres moyens en terme d'aisance vis-à-vis des exigences scolaires au pôle des fractions plus populaires de notre échantillon en termes d'investissement et de motivation à l'égard du jeu scolaire.

L'ambiguïté de cette relation avec l'institution scolaire s'accentue quand on analyse de près l'issue de leur demande de prise de parole.

En matière d'interventions reprises par la maîtresse, les enfants de cadres supérieurs/professions libérales occupent une position médiane quant au nombre total de reprises ; rappelons qu'ils obtiennent le plus mauvais coefficient de rentabilité de prise de parole (1 chance sur 6), tout comme les enfants des personnels de service et les mauvais élèves.

Les instituteurs essaient-ils ainsi d'atténuer leur facilité de prise de parole ? Ou sont-ils eux-mêmes moins à l'aise vis-à-vis de ces enfants ?

Analysons l'incidence des résultats scolaires sur la variation du comportement des enseignants à l'égard des enfants de cadres supérieurs/professions libérales.

Dans l'ensemble, les enfants de cadres supérieurs/professions libérales semblent voir leur propos d'autant plus souvent repris qu'ils ont de bons résultats scolaires. Cependant, bien que plus

TABLEAU 46. — *Graphique représentant la répartition des interventions reprises en fonction des résultats scolaires et de la catégorie socioprofessionnelle*

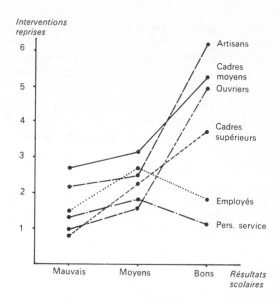

facilement repris quand ils ont de bons résultats scolaires, les enfants de cadres supérieurs/professions libérales restent nettement moins repris que les enfants d'artisans, cadres moyens et ouvriers.

D'autre part, quand ils ont de mauvais résultats, ce sont les moins repris de l'ensemble de notre population, contrairement aux enfants de cadres moyens, répétons-le au passage, qui eux sont toujours les plus repris quels que soient leurs résultats scolaires — à l'exception des bons élèves enfants d'artisans.

Les deux variables, origines sociales et résultats scolaires, semblent donc jouer sur la relation de ces enfants avec les enseignants. Mais si leur position scolaire joue nettement dans l'interaction, on constate que quels que soient leurs résultats scolaires, les enfants de cadres supérieurs/professions libérales restent en deçà de la courbe moyenne de la population. Leur position paradoxale semble donc bien être un effet de la catégorie socioprofessionnelle. Effet qui est d'autant plus puissant quand il se cumule avec de mauvais résultats scolaires.

B | DISTANCE ET INTÉGRATION

Comment expliquer ce renversement de leur position ? Loin d'apparaître comme des privilégiés à ce niveau, les enfants de cadres supérieurs/professions libérales semblent, au contraire, entretenir une relation à la fois facile et difficile, en tout cas contradictoire avec l'école primaire.

Relation facile ainsi que le montrent leurs résultats scolaires. Les enfants de cadres supérieurs/professions libérales ont dans notre échantillon de meilleurs résultats que les enfants de cadres moyens.

TABLEAU 47. — *Distribution des enfants*
des catégories cadres moyens et cadres supérieurs/professions libérales
en fonction de leurs résultats scolaires

CSP	Résultats			
	Mauvais	Moyens	Bons	Total
Cadres moyens	4	18	7	29
	14 %	62 %	24 %	100 %
Cadres sup./prof. lib.	6	21	16	43
	14 %	49 %	37 %	100 %

Les enfants de cadres supérieurs/professions libérales ont plus d'une chance sur trois d'être parmi les bons élèves, et une chance sur deux d'être parmi les moyens.

Ils sont donc aussi rarement mauvais élèves que les enfants de cadres moyens, mais nettement plus souvent bons élèves.

Mais nos observations montrent qu'à l'école primaire, à la fois moins accrochés et moins repris par les enseignants, les enfants de cadres supérieurs/professions libérales, cèdent aux enfants de cadres moyens un « leadership » scolaire que depuis quelques années la sociologie spontanée et un certain nombre de travaux sur l'école primaire leur ont souvent attribué sans jamais le vérifier concrètement à ce niveau. Car il faut bien remarquer que ce n'est pas la catégorie qui obtient les meilleurs résultats scolaires qui incarne la norme scolaire dans le quotidien. Si les enfants de cadres supérieurs se laissent distancer par les enfants de cadres moyens dans la transgression licite que représente une surenchère avec la règle scolaire, ils rejoignent et parfois dépassent ceux-ci dans les transgressions illicites que sont l'indiscipline, le décrochage et le bavardage. Le réseau principal de communication semble donc plus spécifiquement investi par les enfants de cadres moyens que par les enfants de cadres supérieurs/professions libérales. Le déplacement du lieu de la surenchère situe assez bien les protagonistes dans leur relation avec l'école primaire.

Il serait abusif de dire que les cadres supérieurs ne sont pas « intégrés à l'école » mais leur intégration se manifeste différemment.

Ce sont les enfants de cadres supérieurs qui bavardent le plus fréquemment, leur moyenne de bavardage est même plus élevée que celle des mauvais élèves.

TABLEAU 48. — *Répartition des bavardages par catégorie socioprofessionnelle*

Ind.	Mauvais élèves	Cadres supérieurs	Cadres moyens	Employés	Artisans	Ouvriers	Personnels de service	Bons élèves
				Catégories				
Bavardages	2,18	2,28	2,15	2,09	1,92	1,89	1,30	1,82

On voit ainsi s'inverser les comportements d'opposition par rapport aux images reçues : plus leur contexte culturel les met mal à l'aise et les éloigne du monde scolaire, moins les enfants osent bavarder.

Les cadres supérieurs semblent ici en prendre à leur aise avec la règle scolaire, et ne plus simplement s'en tenir à la lettre de cette règle comme ils le faisaient dans le cas de leur participation au réseau principal de communication. En prendre à son aise avec la règle scolaire, c'est pouvoir à la fois prendre des distances et jouer avec celle-ci tout en la situant assez précisément pour pouvoir s'en servir à bon escient.

Ainsi quand les enfants de cadres supérieurs/professions libérales bavardent aussi facilement, ils manifestent en même temps leur intégration scolaire et la distance avec laquelle ils la vivent.

Contrairement aux autres catégories socioprofessionnelles[2] pour

2. Aberration collective qui est hommage à rebours à l'institution scolaire, le chahut traditionnel, négation momentanée de l'ordre scolaire, en confirme l'excellence. Parce que les

qui le bavardage est la caractéristique des mauvais élèves, parmi les enfants de cadres moyens et de cadres supérieurs/professions libérales, ce sont les bons élèves qui bavardent le plus.

De plus, le bavardage n'est pas contrebalancé, comme c'est le cas pour les cadres moyens, par une surenchère scolaire ; il est plutôt renforcé ici par une fréquence de décrochage qui rapproche les cadres supérieurs des ouvriers et des employés, dans le cas des mauvais élèves.

Ce détachement, cette décontraction expliquerait-elle l'ambiguïté de la relation que les instituteurs entretiennent avec les enfants de cadres supérieurs/professions libérales ?

Deux études menées à partir d'interviews d'instituteurs semblent bien apporter des éléments parallèles à nos observations, quant au malaise des instituteurs dans leurs rapports avec les enfants de cadres supérieurs/professions libérales.

Ida Berger montre dans son étude[3] que les enseignants qui refusent de traiter les parents en bloc homogène font une distinction entre les parents de milieu socioculturel élevé :

« Un certain nombre de maîtres ont déclaré que ce sont les parents de milieu socioculturel élevé qui leur rendent le plus souvent visite. Le comportement de ces derniers est néanmoins fréquemment contradictoire. Les uns se montrent bien informés des règlements et des problèmes scolaires, ils sont en même temps compréhensifs. Les autres sont décrits comme hautains, cachant à peine leur dédain lorsqu'ils prennent contact avec les instituteurs de leurs enfants. »

Allons plus loin, ce comportement « contradictoire » pourrait qualifier deux sous-groupes de parents bien distincts : les cadres moyens et les cadres supérieurs/professions libérales.

Une autre étude, qui nous avons déjà citée nous amène sur ce point des informations précises. En effet J. Pacaud-Breton[4] dans ses entretiens avec les enseignants d'Ecole maternelle a relevé

valeurs du système pédagogique sont immanentes au chahut traditionnel, ce type de chahut renforce l'intégration de l'élève à l'école.

« Anomalie anormale », il a pour fonction de permettre à ceux qui sont soumis à cet ordre d'en intérioriser les valeurs et d'assurer le fonctionnement harmonieux du système pédagogique en contribuant à résoudre ou à réduire les tensions qu'il engendre.

J. Testanière, Chahut traditionnel et chahut anomique, *Revue française de Sociologie*, VIII, 1967.

3. Berger, *op. cit.*
4. J. Breton, *op. cit.*

systématiquement « les manquements aux règlements évoqués par celles-ci, et ce en fonction de l'appartenance sociale des parents ». Nous reprendrons ici dans le détail ce passage, car au travers des thèmes évoqués apparaissent les critères d'intolérance des enseignants qui sont révélateurs de leurs conceptions éducatives implicites. En effet, si les enfants d'ouvriers sont en tête de ce hit-parade des infractions, les enfants de cadres supérieurs arrivent, eux, en deuxième position. Un certain nombre d'infractions spécifiques leur sont imputées : les enfants viennent trop légèrement vêtus, avec des boutons qui manquent, de plus, ils ne respectent pas les horaires, viennent souvent tard le matin, ou sont repris trop tard par leurs parents, ils vont à l'école même quand ils sont malades, et ne sont pas toujours très propres. Bref leurs parents font preuve d'une trop grande décontraction.

Alors que les enfants de cadres moyens ne sont quasiment jamais cités, sauf sur le thème des « poux » (ceux-ci semblant s'installer sans aucune préférence sur toutes les têtes).

Si les ouvriers ont, ce qui n'est guère surprenant, les conceptions les plus différentes des enseignants, les cadres supérieurs se trouvent eux aussi dans le camp opposé, contrairement aux cadres moyens qui semblent les plus proches des enseignants.

Et, effectivement, si on reprend une question définissant la relation qu'entretiennent les parents avec l'école, on constate que les parents cadres supérieurs/professions libérales ne sont jamais signalés comme mal à l'aise, mais un tiers d'entre eux sont déclarés « à l'aise » et les deux tiers « trop à l'aise ».

Ce ne sont pas seulement les conceptions éducatives des parents cadres supérieurs/professions libérales qui sont différentes et assez mal tolérées par les enseignants : leurs efforts pour les faire triompher à l'école sont considérés comme de véritables intrusions. Vécus comme « épreuve de force », « prise de pouvoir », les conflits avec ces parents-là sont souvent réglés par les directrices, car ces « conflits » sont difficilement verbalisables et verbalisés. Ils sont plutôt subis par les institutrices qui, très souvent, évitent « les parents qui font du bruit ».

Comment ne pas faire le parallèle avec ce qui se passe en classe : les instituteurs ne traduiraient-ils pas ce même comportement d'évitement en ne reprenant pas les élèves qui leur semblent trop à l'aise dans la classe ? D'où vient donc ce décalage entre les attentes des cadres supérieurs et des instituteurs ? Mais

tout d'abord, que représente l'école primaire pour les cadres
supérieurs/professions libérales et leurs enfants ?

C | ÉVIDENCE ET ASSURANCE
D'UNE TRAJECTOIRE SCOLAIRE ET SOCIALE

Pour comprendre le décalage qui existe entre l'investissement
des classes moyennes et celui des cadres supérieurs/professions
libérales à l'égard de l'école primaire, il faut prendre comme
référence leur maîtrise du temps à la fois scolaire et biographique,
et le degré d'abstraction qui leur permet d'analyser le système
scolaire.

La période de l'école primaire doit ainsi être resituée à la fois
dans la rythmique scolaire et parmi l'ensemble des structures de
socialisation spécifiques.

Le temps de l'école primaire est placé pour les cadres
supérieurs/professions libérales sous le signe de l'*évidence*, car ici
rien n'est encore directement en jeu : la trajectoire scolaire se
mesure dans l'assurance d'une scolarité effectuée dans le
secondaire-supérieur ; élément d'une histoire collective et familiale,
la scolarité est envisagée comme un parcours linéaire (dominé par
son terme) et non comme la succession de chances toujours tentées.

La connaissance vécue, tant des mécanismes sociaux que du
fonctionnement du système scolaire, qui caractérise la catégorie des
cadres supérieurs/professions libérales leur permet de situer
précisément les moments et les lieux où les enjeux scolaires seront
réellement importants, voire déterminants, quant à la conservation
de leur position sociale.

Car il ne faut pas s'y tromper, ces apprentissages de l'école
primaire ne sont pas vus comme négligeables ou de peu
d'importance.

La notion même de leur évidence contient le présupposé qu'ils
seront acquis et possédés : à l'école de se charger de cet
apprentissage minimal. D'où les demandes de dérogation pour
entrer à l'école primaire avant l'âge obligatoire, et les sauts du cours
préparatoire.

L'objectif ici n'est pas un but en lui-même, il n'est qu'une base
de départ, de même le travail destiné à acquérir ces apprentissages
n'en est pas réellement un, tout en l'étant.

Ce système de négation et de renversement des valeurs[5] n'est pas négation de l'effort, mais permet, au contraire, de l'annuler, de le banaliser.

Prenons à témoin une sociologue de l'éducation qui relate sa propre enfance, et son rapport à l'école primaire[6] :

> « Qu'est-ce qu'une bonne élève ?
>
> « La réponse à cette question s'est esquissée dans mon expérience individuelle. Obligée de garder la chambre pendant quatre mois de cours préparatoire par la succession des "maladies d'enfant", j'ai suivi, en deux heures quotidiennes de travail individuel à la maison avec ma mère, le programme auquel mes camarades consacraient six heures de travail à l'école, deux heures de devoirs à la maison, c'est-à-dire l'équivalent horaire d'une journée à l'usine. Mon programme de travail scolaire avec ma mère était en fait limité au français et au calcul. Le reste, histoire, géographie et sciences naturelles, était laissé à la libre disposition de mon appétit de lecture, d'autant plus développé que j'étais clouée au lit, et qui donc survolait rapidement les petites tranches débitées sous le nom de leçons dans mes livres.
>
> « J'ai gardé de cette expérience un mépris sans bornes pour cette école que j'ai obligée à me donner toujours le prix d'excellence et par laquelle j'ai pris l'habitude d'acquérir un ou même plusieurs temps d'avance, de manière à savoir toujours ce que l'institutrice puis les professeurs allaient dire, et à me mesurer avec elles dans l'aptitude à expliquer à mes petites camarades. »

On observe bien ce double mouvement de banalisation et d'assurance qui ancre l'évidence de cette réussite scolaire à travers l'enquête menée par la Fédération nationale des écoles de parents et d'éducateurs[7].

A des questions portant sur l'évaluation de travail de l'enfant dans la classe, on obtient les résultats suivants :

« Ce sont les cadres supérieurs et professions libérales, les parents aux revenus supérieurs, ceux qui ont fait des études supérieures, qui placent le plus souvent leurs enfants en tête de classe. Mais dans ces mêmes familles, les enfants sont moins nombreux à se déclarer bons élèves, comme si les parents croyaient en leurs héritiers plus que ces derniers ne croient en leur héritage », commentent les auteurs de l'étude.

A résultats scolaires identiques, on constate donc un décalage entre parents et enfants.

---

5. Renversement des valeurs, que Verret note à propos des étudiants dans l'inversion de l'usage du jour et de la nuit, *op. cit.*
6. Anne Querrien, L'enseignement à l'école primaire, *Recherches*, n° 23, juin 1976.
7. *Enfants et parents en question, op. cit.*

Celui-ci illustre assez bien nos propres données : dépassés et débordés par la surenchère des enfants de cadres moyens et sensibles au caractère contradictoire de leur relation avec les enseignants, les enfants de cadres supérieurs/professions libérales se classent moins souvent en tête, alors que leurs parents plus assurés, banalisent les incidents scolaires et considèrent comme évident le succès de leurs enfants.

Ce n'est donc pas l'immédiateté du quotidien scolaire qui détermine la vision de cette classe sociale.

L'école sera ainsi toujours envisagée avec distance et relativement à l'ensemble des stratégies possibles dont peut disposer une classe qui possède souvent, à la fois, capital culturel, économique et social.

Ainsi, chacun des éléments de la trajectoire scolaire sera évalué à l'échelle du temps biographique. Dans cette perspective le temps de l'école primaire sera le *temps de l'enfance*.

Nul besoin de consacrer son temps à un investissement sur l'avenir, l'assurance de celui-ci permet au contraire d'investir dans le temps présent, de profiter de celui-ci, en développant la spécificité de cette période précise qu'est « l'enfance ».

Si l'école primaire organise le temps de l'enfance chez les cadres moyens, *à contrario*, elle ne sera ici qu'une des facettes d'une période consacrée au développement de l'enfant.

Le métier d'enfant[8], pour reprendre l'expression de J.-C. Chamborédon, n'est certes jamais strictement synonyme du métier d'écolier, mais la distance et la relation qu'entretiennent les différentes instances de socialisation varient fortement d'une classe sociale à l'autre.

« Les catégories de perception et les formes de traitement de l'enfance propres à chaque classe sociale ne résultent pas seulement de la diffusion de définitions de l'enfance nées de l'évolution autonome de disciplines scientifiques et artistiques, elles sont le produit de l'ensemble des conditions sociales et culturelles qui définissent la situation d'une classe »[9].

8. J.-C. Chamborédon, *Le métier d'enfant, op. cit.*
9. *Ibid.*

Ainsi savoirs psychologiques, disponibilité de la mère et quasi professionalisation de son rôle d'éducatrice, tendent à entraîner un renversement du rapport entre école et éducation familiale.

Nous avions effectivement noté plus haut que près de la moitié des mères ne travaillent pas, or, si l'on sait que l'activité professionnelle croît en fonction des diplômes, à diplôme égal elle diminue dans les classes supérieures, d'où la translation de ces capacités acquises dans la professionalisation du rôle de mère[10].

Cette quasi-professionalisation du rôle maternel prendra comme support la vie extra-scolaire des enfants qu'elle autonomisera fortement de la vie scolaire en l'organisant, en la densifiant soit très directement dans le cadre familial, soit en faisant appel à ces structures parallèles dont une partie s'est développée récemment tels que club d'expression artistique, théâtrale, cours de musique, club de sport...

Les mercredis devenant parfois un véritable parcours du combattant de l'enfance harmonieuse[11] : le matin cours de judo ou piscine, l'après-midi télévision évidemment, mais aussi flûte puis théâtre sans oublier de passer par la bibliothèque enfantine...

Ainsi analysant la fréquentation d'une bibliothèque enfantine (la bibliothèque des enfants du Centre Pompidou)[12] nous avons pu constater la spécificité de l'organisation des loisirs culturels de cette catégorie sociale :

— la fréquentation d'une bibliothèque enfantine non seulement soutient mais précède l'apprentissage de la lecture : il s'agit bien de créer le goût de lire ;

— d'autre part cette fréquentation s'insère dans l'organisation de loisirs familiaux, au point que l'on peut parler d'un habitus familial, la fréquentation de la bibliothèque des enfants et la fréquentation du musée semblant s'autoriser réciproquement, en permettant tant aux parents qu'aux enfants de vaquer à leurs activités de loisir en toute légitimité familiale et culturelle.

---

10. O. Choquet, Données statistiques sur les familles, in *Collections de l'INSEE*, n° 86, janvier 1981.

11. On peut ainsi noter dans un manuel de puériculture (Cohen-Solal) la mise en garde d'un pédiatre à propos de la fatigue des enfants des milieux aisés, victimes d'un véritable surmenage en matière de loisirs.

12. R. Sirota, J. Eidelman, « Autonomie et dépendance des pratiques culturelles enfantines : le cas de la bibliothèque des enfants du Centre Pompidou », à paraître, *Actes du Colloque franco-suisse « Politique d'Acteurs, Politiques d'Institutions »* ; J. Eidelman, M.-C. Habib, R. Sirota, *Balade en bibliothèque pour lecteur en herbe*, Paris, BPI, Centre Georges Pompidou, 1984.

Il est vrai que les enfants de cadres supérieurs/professions libérales sont ceux qui déclarent le moins souvent s'ennuyer dans leur temps de loisir, 54 % d'entre eux pratiquant au moins une activité spécifique[13].

Temps individualisé, adapté aux goûts spécifiques de l'enfant, le temps de loisir concurrence directement le temps scolaire.

Car ce temps n'est indépendant et opposé qu'en apparence : les exigences de ce temps sont d'autant plus fortes et d'autant plus proches des exigences scolaires qu'il s'agit bien toujours d'apprentissages. Les acquisitions seront d'autant plus importantes et mesurables qu'elles sont individualisées et adaptées.

Le temps et l'espace scolaire apparaîtront ainsi comme des concurrents souvent grincheux et tristes, d'où ce mélange d'assurance et de détachement des enfants à l'égard des activités scolaires et le malaise des enseignants.

---

13. *Enfants et parents en question, op. cit.* On note également dans une étude de l'IREDU publiée par le ministère de l'Éducation que cadres moyens et cadres supérieurs/professions libérales sont relativement proches quant aux statistiques générales d'utilisation du temps de loisir, mais ils s'écartent nettement quand on prend en compte la structuration de ces loisirs.

De l'interprétation sociologique d'une observation de classe

« Le principal intérêt de l'analyse sociologique réside dans son pouvoir de rappel : ne jamais oublier de voir le train du monde comme il va — et, si possible, mesurer sa vitesse, compter ses voyageurs et décrire le réseau. Non pour le plaisir de conclure qu'il n'y a décidément "rien de bien nouveau sous le soleil" mais pour dissiper l'illusion qu'un grain de sable pourrait suffire au déraillement ou le souffle d'un désir à l'aiguiller ailleurs. Il faut avoir scruté les chemins par où passent les pesanteurs sociologiques pour espérer les surprendre un jour en position de déséquilibre et faire tomber le fruit là où on a toujours rêvé. Deux rappels donc qui ne sont pas pessimistes mais de simple stratégie. »

(Jean-Claude Passeron, Images en bibliothèque, images de bibliothèques, *Bulletin des Bibliothèques de France*, Paris, t. 27, n° 2, 1982.)

« — Alors, comment pouvez-vous être assez sot pour en parler ?
— Les preuves, dis-je, sont toujours choses très relatives. Ce n'est jamais qu'une accumulation de probabilités qui finit par faire pencher la balance. Et encore, est-ce une question d'interprétation. »

(Raymond Chandler, *Adieu, ma jolie*, coll. « Poche Noir », NRF, p. 239.)

Tout itinéraire de recherche, à travers ses cohérences et ses incohérences, ses sauts, ses glissements suit implicitement un fil conducteur que nous voudrions expliciter.

L'objectif initial était bien l'analyse des pratiques quotidiennes à l'école primaire, afin de saisir le « comment » de cette différenciation sociale, démontrée par un certain nombre de travaux menés dans le champ de la Sociologie de l'éducation au niveau macro-sociologique.

Vouloir travailler sur des pratiques, présupposait de les constituer en objet sociologique, mais peu de travaux sociologiques poursuivant une telle démarche existaient à l'époque, c'est pourquoi nous avons eu recours à une instrumentation classiquement utilisée en Sciences de l'Education en matière d'observation de classe.

Nous avons ainsi emprunté cette instrumentation qui collait parfaitement au niveau microsociologique de notre objet en la transférant dans notre problématique. Ceci afin d'observer des comportements précis et d'éviter d'inférer « cette psychologie du sens commun que présuppose tout travail sociologique » ainsi que le démontre fort bien Matalon[1].

Nous avons ainsi opté pour une instrumentation parfaitement positiviste, garante au moins en apparence d'une certaine rigueur dans la mesure où elle précise et « isole » les comportements choisis comme indicateurs et en permet la mesure à travers la quantification qu'elle amène.

Nous pouvions donc ainsi identifier des comportements. Mais nous n'obtenions qu'une sèche photographie du quotidien, car le sens des pratiques n'est pas, lui, directement observable, si le niveau de l'observation nous semblait indispensable afin de repérer ces comportements, ceux-ci ne recelaient pas pour nous leur sens en eux-mêmes. Aussi s'en tenir strictement à l'objet produit par notre instrumentation ne nous permettait guère de saisir et de comprendre le sens de ces pratiques.

Nous étant situés dans une problématique interactionniste, en considérant « l'école comme un champ social ou une arène où se croisent et se confrontent des acteurs aux projets divergents », nous ne pouvions alors borner notre interprétation à la « situation » en tant que telle, nous étions amenés à sortir de la classe pour constituer cette interaction en fait social, en la resituant précisément comme un espace-temps parmi d'autres.

C'est donc au moment de l'interprétation de ces observations, que nous nous sommes tournés vers un certain nombre de travaux produits à la fois dans le champ de la sociologie de l'éducation et

---

1. B. Matalon, *La psychologie et l'explication des faits sociaux*, 1 : Problèmes épistémologiques, *L'Année sociologique*, 1982.

dans le cadre d'une sociologie des classes sociales ne prenant alors l'école que comme indicateur parmi d'autres. Etudes menées généralement au niveau des représentations des acteurs sociaux et destinées à expliciter la constance de répartition des flux que constataient et démontraient les études macrosociologiques.

C'est donc dans ce « courant », donnant la parole à l'acteur social pour saisir le sens de ses pratiques, que nous avons choisi notre cadre d'interprétation. Nos observations nous permettant à la fois de faire une synthèse des discours recueillis à propos de l'école primaire et de dégager les convergences et les contradictions entre discours et pratiques.

> « Les individus s'étudient moins sur ce qu'ils sentent et pensent que sur ce qu'ils font, ce qu'ils sont éclairant ce qu'ils font et ce qu'ils font ce qu'ils sentent et pensent » (M. Verret, *op. cit.*).

Nous avons ainsi pu restituer les enjeux particuliers dont le temps de l'école primaire est investi, en tant qu'instance de socialisation et élément spécifique du système scolaire, et mettre en évidence que :

— *Les enfants des classes populaires* se caractérisent par des comportements de repli, de retrait ou d'attente. Ceci pose nettement le problème de la délimitation du pouvoir et du rôle de chaque instance de socialisation. La négociation des stratégies éducatives ici n'est qu'une transposition de la confrontation ou de la défense d'une identité culturelle et sociale face à l'institution scolaire. Les difficultés et les contradictions de cette confrontation caractérisent la position des différentes fractions des classes populaires en fonction de leurs trajectoires et itinéraires sociaux.

Ne reconnaissant dans l'école que sa fonction instrumentale, les enfants d'ouvriers adoptent un « conformisme actif » qui marque une demande (et non un désintérêt) à l'égard de l'école primaire, alors que les enfants d'employés semblent entrer plus facilement dans le jeu scolaire à condition d'en respecter scrupuleusement les règles ; cette adaptation respectueuse et timide se traduit par « un conformisme passif ».

— La position surprenante *des enfants d'artisans et de petits commerçants* semble indiquer un changement d'attitude de cette catégorie à l'égard de l'école.

La stratégie scolaire fixe ainsi dans une sorte d'instantané photographique les contradictions internes d'un itinéraire de mobilité sociale, où les normes et valeurs du temps passé s'opposent ou rencontrent celles du temps présent ou futur. Ainsi, la transmission d'un capital passant pour cette catégorie de plus en plus par le détour scolaire, on constate une restructuration du système des stratégies d'investissements, celle-ci s'apparentant de plus en plus à celle des cadres moyens et de moins en moins à celles des classes populaires. Mais leur attitude à l'égard de l'école primaire traduit aussi l'ambiguïté d'une « foi négative » dans l'école, car systèmes de valeurs et de vie s'opposent ici parfois fortement, plaçant autant les élèves que les enseignants dans des situations contradictoires.

— *Les enfants de cadres moyens* occupent une position tout à fait spécifique au sein de l'école primaire. Adoptant de manière générale, et quel que soit leur résultat scolaire le profil du bon élève, leur comportement marque une certaine « surenchère ». Celle-ci traduit à la fois l'importance de l'investissement scolaire pour cette catégorie, car le temps scolaire organise le temps de l'enfance des cadres moyens, mais aussi la complémentarité et la reconnaissance réciproque et symétrique de deux instances de socialisation : la famille et l'école. Les enseignants tout comme les parents cadres moyens, se considèrent réciproquement comme un partenaire idéal ; il n'y a ici ni démission ni concurrence mais complémentarité et reconnaissance d'un même système de valeurs. C'est pourquoi, contrairement à certains de leurs discours, les instituteurs semblent entretenir une relation particulièrement gratifiante avec les enfants de cadres moyens.

— Loin d'apparaître comme des privilégiés, au niveau de l'école primaire, *les enfants des cadres supérieurs/professions libérales* semblent entretenir une relation à la fois facile et difficile, en tout cas contradictoire avec celle-ci. Le temps de l'école primaire est placé sous le signe de l'évidence car ici rien n'est encore directement en jeu : leur trajectoire scolaire se joue dans l'assurance d'une scolarité effectuée dans le « Secondaire-Supérieur ». Cette banalisation du quotidien scolaire se traduisant par un mélange de détachement et d'assurance provoque un certain malaise du côté des instituteurs. Si l'école primaire organise le temps de l'enfance chez les cadres moyens, ici elle ne sera qu'une des facettes d'une période consacrée avant tout au développement de l'enfant.

En repérant les enjeux particuliers dont le temps de l'école primaire est investi, en tant qu'instance de socialisation et en tant qu'élément spécifique du système scolaire, nous avons pu ainsi dégager avec netteté le poids des classes moyennes au niveau de l'école primaire.

Les positions spécifiques, observées tant parmi les enfants des classes populaires que parmi les enfants des fractions les plus favorisées nous amènent à reconsidérer les phénomènes de réussite et d'échec scolaire dans une perspective bien plus complexe que le simple déterminisme social. Plongeant dans l'arène de la classe, en choisissant comme angle de prise de vue privilégié une analyse à partir de l'appartenance sociale des élèves, nous avons pu mettre en lumière comment se constitue différentiellement le métier d'élève. Choisissant d'interpréter les comportements scolaires à partir des modalités d'investissements scolaires familiales, nous avons certes agi avec une brutalité en partie délibérée. Tranchant à la hache, dans les modalités explicatives de cette situation précise qu'est la classe, nous avons élagué bien des dimensions. Non point faute de les ignorer, ou de les dédaigner, mais c'était là une des étapes d'une recherche. Certes, cette démarche se dispense en partie de l'exploration préalable et de la reconstitution de ces stratégies quotidiennes qui font la routine du métier d'élève (quel que soit son origine sociale). Mais l'inventaire de ces stratégies n'infirme pas nos analyses, bien au contraire, elle les confirme. On se référera ici aux travaux des interactionnistes anglais tels que S. Delamont, P. Woods, ou aux travaux de P. Perrenoud.

Articulant ainsi un point de vue microsociologique avec un point de vue macrosociologique dans l'exploration de ce niveau d'analyse qu'est la classe, nous avons pu souligner la spécificité de cet élément du système scolaire que constitue l'école primaire.

C'est dans cet aller-retour entre comportement observé et discours, c'est-à-dire, entre pratiques et représentations que nous avons choisi notre mode d'interprétation.

Car on ne peut pas importer d'un échelon du système éducatif à l'autre les mêmes logiques sociales. L'échelon de l'école primaire a sa spécificité, tout comme la maternelle, le collège... Elément d'une trajectoire individuelle, certes, la fréquentation de l'école primaire est aussi un élément d'une symbolique scolaire familiale dont le sens subit de multiples variations, dûes tant à l'histoire de la lignée qu'au présent d'une conjoncture économique et sociale. Si on peut donc parler ici d'analyse et d'observation sociologique, c'est plus dans l'explication théorique du choix des indicateurs et de l'interprétation qui en est donnée que dans les indicateurs utilisés.

En effet, linguistes ou psychologues pourraient parfaitement utiliser cette grille sans même forcément la transposer pour analyser les interactions d'un groupe donné.

S'agit-il donc d'emprunt à différentes disciplines de cette « kleptomanie académique »[2] dont certains qualifient la pluridisciplinarité, ou d'« une réorganisation des domaines du savoir par des échanges consistant en réalité en des recombinaisons constructives » ?

Qu'avons-nous fait ?

Nous avons considéré les pratiques observées comme des pratiques sociales dont le sens ne dérive pas uniquement du *hic et nunc* de la situation d'observation, mais du temps social que représente le temps de l'école primaire.

C'est donc essentiellement sur le plan syntaxique, tel que l'énonce G.-G. Granger[3], de notre raisonnement que se situe l'aspect spécifiquement sociologique de notre démarche.

En ce sens, il n'y a pas opposition fondamentale à d'autres disciplines des Sciences humaines, mais plutôt éclairage spécifique dû à la mise en relation d'éléments standards — en matière de sciences humaines — avec un système théorique spécifique. L'indissociabilité conceptuelle des Sciences de l'Education ne réside pas pour nous dans la spécificité du champ de recherche — l'Education —, bien que celui-ci pose de manière aiguë le problème tant institutionnellement[4] que pratiquement, mais plutôt dans une nécessaire exigence de rigueur des Sciences humaines. Celle-ci ne me semble ni devoir ni pouvoir tellement venir de l'administration de la preuve à travers des démonstrations statistiques positivistes sophistiquées, mais bien plutôt d'une scrupuleuse exigence quant à la construction de chaque élément de raisonnement. Une

2. Décrite par Howard Becker et cité par M. Grawitz, *Méthode des Sciences sociales*, Dalloz, 1972, p. 282.

3. « ... Dans la mesure où l'organisation d'une science est celle d'un système symbolique, elle comporte nécessairement des concepts de type "sémantique" renvoyant plus ou moins directement à des aspects des phénomènes — et des concepts de type "syntaxique", c'est-à-dire jouant le rôle de facteurs combinant d'autres concepts » (G.-G. Granger, L'explication dans les sciences sociales, in *L'explication dans les sciences*, Paris, Flammarion, 1970).

4. Ainsi que le montrent les positions divergentes et passionnées défendues dans le cadre des Journées d'études sur « Identité et constitution des Sciences de l'Education » et rassemblées dans un numéro spécial de la *Revue Sciences de l'Education pour l'Ere nouvelle*, octobre-novembre-décembre 1982.

méticuleuse construction, où chaque élément d'un raisonnement, par essence hétérogène est posé non pas seulement dans le système syntaxique qui lui donne sens, mais aussi dégagé avec précaution de la stratigraphie conceptuelle qui lui a donné naissance. Car précisément dans le champ de l'éducation, labouré ou ensemencé par de multiples disciplines, chaque élément du réel est un élément déjà isolé et construit par une autre discipline, telle que la philosophie, la psychologie, l'histoire ou l'économie. L'ignorer et poser le sociologue en maître d'œuvre, ne consiste pas seulement à mépriser ces disciplines, mais aussi à clôturer son champ de haies interdisant une réelle compréhension des phénomènes.

Tâche démesurée certes, mais dont l'exigence doit rappeler à la modestie tout travail, toute affirmation, tout résultat dans ces domaines, car ils ne satisfont jamais les conditions en question. De plus à l'intérieur de cette exigence épistémologique réside aussi la clé de l'appropriation des connaissances constituées par ces recherches, pour les acteurs sociaux concernés. Or la possibilité de l'appropriation des savoirs produits par les recherches en Sciences de l'Education nous semble entre autres passer par l'élucidation des termes du raisonnement employé, en situant à la fois leur spécificité et leur articulation.

Ainsi pour nous, choisir le faisceau sociologique, pour observer la quotidienneté de la classe, c'est renvoyer l'enseignant à sa responsabilité sociale, non pas dans un théâtre d'ombres chinoises où ne subsisteraient que le noir et le blanc, mais dans les contradictions de toute pratique, impliquant à la fois la personne et le social.

Liste des tableaux

Bibliographie

I. — LA CLASSE

Angus, L. B., Developments in Ethnographic Research in Education : From Interpretative to Critical Ethnography, *Journal of Research and Development in Education*, vol. 20, number 1, 1986.

Bachmann, C., Lindenfeld, J., Simonin, J., *Langage et communications sociales*, Paris, Credif-Hatier, 1981.

Banks, O., *The Sociology of Education*, chap. 10, « The sociology of the classroom », London, B. T. Batsford Ltd, 1978.

Banks, O., School and Society, *in* Barton and Meighan, *Sociological Interpretation of Schooling and Classrooms : a reappraisal*, London, Nafferton Books, 1978.

Bany, M., Johnson, L., *Dynamique des groupes et éducation*, trad., Paris, Dunod, 1984.

Barton and Meighan, *Sociological Interpretation of Schooling and Classrooms : a reappraisal*, London, Nafferton Books, 1978.

Bateson, G., Birdwistell, R., *et al.*, *La nouvelle communication*, Paris, Ed. du Seuil, 1981.

Bayer, E, L'analyse des processus d'enseignement, *Revue française de Pédagogie*, n° 24, Paris, 1973.

Bayer, E., Une science de l'enseignement est-elle possible ?, in *L'art et la science de l'enseignement*, Ed. Labor, 1986.

Becker, H. S., Social-class Variations in the Teacher-pupil Relationship, in *Journal of Educational Sociology*, April 1952.

Becker, H. S., Geer, E. Hugues, E. C. et Strauss, A. Z., *Boys in White : Student Culture in a Medical School*, Chicago, The University of Chicago Press, 1961.

Berynon, J., Atkinson, P., Pupils as data-gatherers : Mucking and Sussing, *in* Delamont, *Readings on interaction in the classroom*, London, Methuen, 1984.

Bernstein, B., *Class, Codes and Control*, vol. 1 et 2, London, Routledge and Kegan Paul, 1975, traduit dans *Langage et classes sociales*, Paris, Ed. de Minuit, 1975.

Bernstein, B., Class and Pedagogies : Visible and Invisible, *in* Karabel and Halsey, *Power and Ideology : Studies in Education*, New York, Oxford University Press, 1977.

Blouet, C. and Ferry, G., Les implications de l'analyse des interactions dans la classe, *Bulletin de Psychologie*, Paris, vol. XXVII, n° 316, 1974.

Bourdieu, P., Passeron, J.-C., *La reproduction*, Paris, Ed. de Minuit, 1970.

Bourdieu, P., Passeron, J.-C., Langage et situation pédagogique, dans Bourdieu, P., Passeron, J.-C., Saint-Martin, M. de, Rapport pédagogique et communication, *Cahiers du Centre de Sociologie européenne*, Paris-La Haye, Mouton, 1965.

Brossard, M., L'approche interactive de l'échec scolaire, Paris, *Psychologie scolaire*, n° 38, 1981.

Brousseau, G., *Etudes de questions d'enseignement*, document polycopié, décembre 1984.

Bullivant, B. M., *The Way of Tradition : Life in an Orthodox Jewish School*, Victoria, Australia, Australian Council for Educational Research, 1978.

Cazden, C. B., *La situation : une source négligée des différences entre classes sociales dans l'utilisation du langage*, traduction et publication du Groupe Communications et Travail, Université Paris-Nord (1974).

Cazden, C. B., Can Ethnologic Research go beyond the Status Quo ?, *Anthropology and Education Quarterly*, Spring 1983, 33-41.

Cazden, C.B., John U. et Hymes (ed.), *Functions of Language in the Classroom*, New York, Teachers College, Columbia University, 1972.

Cherkaoui, M., *Sociologie de l'éducation*, Paris, PUF, coll. « Que sais-je ? », 1986.

Chevallard, Y., *La transposition didactique*, Paris, La Pensée Sauvage, 1985.

Cicourel, A. V., Leiter, V., Mehan, H., *Language Use and School Performance*, New York, Academic Press, 1974.

CRESAS, *La dyslexie en question*, Paris, A. Colin, 1972.

CRESAS, Pourquoi les échecs scolaires dans les premières années de la scolarité ?, *Recherches pédagogiques*, n° 68, Paris, INRP, 1974.

CRESAS, *Le handicap socioculturel en question*, Paris, ESF, 1978.

Cunha Neves, A., Eidelman, J., Zagefka, P., Tendances de la recherche en sociologie de l'éducation en France. 1975-1983, Paris, *Revue française de Pédagogie*, n° 65, 1983.

Dannequin, C., *Les enfants bâillonnés*, Paris, Cedic, 1977.

Dannepond, G., Pratiques pédagogiques et classes sociales, étude comparée de trois écoles maternelles, *Actes de la Recherche en Sciences sociales*, n° 30, Paris, nov. 1979.

Dannepond, G., « Les enfants de milieux populaires et l'espace classe du collège », communication au Colloque « Classes populaires et pédagogie », Rouen, 1985, à paraître.

Delamont, S., *Interaction in the Classroom*, Methuen, 1976, 2ᵉ éd., 1983.

Delamont, S., Sociology and the Classroom, *in* Barton and Meighan, *Sociological Interpretations of Schooling and Classrooms, a reappraisal*, London, Nafferton Books, 1978.

Delamont, S. et Chanan, G., *Frontiers of Classroom Research*, London, NFER, 1976.

Delamont, S. et Atkinson, P., The Two Traditions in Educational Ethnography : Sociology and Anthropology Compared, London, *Bristih Journal of Sociology of Education*, vol. 1, n° 2, 1980.

Delamont, S. et Hamilton, D., Revisiting Classroom Research : a Continuing Cautionary Tale, in *Readings on Interaction in the Classroom*, London, Methuen, 1984.

Delamont, S., *Readings on Interaction in the Classroom*, London, Methuen, 1984.

De Landsheere, G., Bayer, E., *Comment les maîtres enseignent. Analyse des interactions verbales en classe*, document ronéo, Ministère belge de l'Education, 1969.

Demailly, L., Contribution à une sociologie des pratiques pédagogiques, *Revue française de Sociologie*, XXV, 1984.

Derouet, J.-L., Henriot Van Zanten, A., Sirota, R., Nouvelles problématiques ou recomposition de champs, Paris, *Revue française de Pédagogie*, juillet-septembre 1987.

Derouet, J.-L., *L'orientation industrielle de la pédagogie : l'exemple de la rénovation des collèges*, à paraître, 1987.

Douady, R. et Artigue, M., La didactique des mathématiques en France : émergence d'un champ scientifique, *Revue française de Pédagogie*, n° 76, Paris, juillet-septembre 1986.

Dupont, P., *La dynamique de la classe*, Paris, PUF, 1982.

Durkheim, E., *Education et sociologie*, Paris, PUF, 1922.

Durkheim, E., *L'éducation morale*, Paris, Ed. Félix Alcan, 1938.

Eggleston, J., *Teacher Decision-Making in the Classroom*, London, Routledge & Kegan, 1979.

Erickson, F., What Makes School Ethnography Ethnographic, in *Council of Anthropology and Education Newsletter*, n° 2, 1973.

Erickson, F. et Mohatt, G., Cultural Organization of Participation Structures in two Classrooms of Indien students, *in* Spindler, *Doing the ethnography of schooling*, New York, Holt, Rinchart & Winston, 1982.

Erny, P., *Ethnologie de l'éducation*, Paris, PUF, 1981.

Fauquet, M., Strasfogel, S., *L'audiovisuel au service de la formation des enseignants*, Paris, Delagrave, 1974.

Ferry, G., Les communications dans la classe. Etude des communications entre les élèves et un professeur dans une classe, Paris, *Bulletin de Psychologie*, 1968, XXII, n° 1, 2.

Ferry, G., Blouet, Chapiro, C., *Le psychosociologue dans la classe*, Paris, Dunod, 1984.

Filloux, J.-C., *Le contrat pédagogique*, Paris, Dunod, 1974.

Filloux, J.-C., « Psychologie des groupes et étude de la classe », éd. Debesse M., Mialaret G., *Traité des Sciences pédagogiques*, n° 6, Paris, PUF, 1974.

Flament, C., *Réseau de communication et structures de groupes*, monographie, Paris, Dunod, 1965.

Forquin, J.-C., L'approche sociologique de la réussite et de l'échec scolaire. Inégalité de réussite scolaire et appartenance sociale, *Revue française de Pédagogie*, n° 59 et n° 60, Paris, 1982.

Forquin, J.-C., La nouvelle sociologie de l'éducation en Grande-Bretagne. Orientation. Evolution 1970-1980, *Revue française de Pédagogie*, n° 63, Paris, 1983.

Forquin, J.-C., La sociologie du curriculum en Grande-Bretagne : une nouvelle approche des enjeux sociaux de la scolarisation, *Revue française de Sociologie*, XXV, Paris, 1984.

Forquin, J.-C., L'approche sociologique des contenus et programmes d'enseignement, *Perspectives documentaires en Sciences de l'Education*, n° 5, Paris, 1985.

Français (Le) aujourd'hui : « Le français dans l'enseignement élémentaire », n° 22, mai 1973 ; « Enseigner l'oral », n° 39, septembre 1977 ; « Le français à l'école élémentaire », n° 50, juin 1980.

François, F., et coll., Conduite langagière et socio-linguistique scolaire, *Langages*, n° 59, septembre 1980.

Gage, N. L., *Handbook of Research on Teaching*, Chicago, Rand. McNalley, 1963.

Gage, N. L., Comment tirer un meilleur parti des recherches sur les processus d'enseignement, in *L'Art et la Science de l'Enseignement*, Ed. Labor, 1986.

Garfinkel, H., *Studies in Ethnomethodology*, Englewood Cliffs, Prentice-Hall, 1976.

Genouvrier, E., Peytard, J., *Linguistique et enseignement du français*, Paris, Larousse, 1970.

Gearing, F., et Epstein, P., Learning to wait : an ethnographic probe into the operations of an item of a hidden curriculum, *in* Spindler, *Doing the Ethnography of Schooling*, Holt, Rinehart & Winston, 1982.

Gilly, M., *Maîtres et élèves. Rôles institutionnels et représentations*, Paris, PUF, 1980.

Gilmore, P., Glatthorn (eds.), Children in and out of School, *Language and Ethnography Series*, vol. II, Center of Applied Linguistics, Washington DC, 1982.

Giordan, A., *L'élève et/ou les connaissances scientifiques*, Berne-Frankfort, Peter Lang, 1983.

Goffman, E., The Neglected Situation, in *American Anthropologist*, vol. 66, part. 2, traduit dans *Une variable négligée : la situation*, traduction et présentation par C. Bachman, Publications du Groupe de Communication et Travail, Université Paris-Nord, 1974.

Goffman, E., *La mise en scène de la vie quotidienne*, Paris, Ed. de Minuit, 1973.

Goffman, E., *Les rites d'interaction*, Paris, Ed. de Minuit, 1974.

Greimas, A.-J., Pratiques et langages gestuels, Paris, *Langages*, n° 10, 1968.

Grignon, C., *L'ordre des choses*, Paris, Ed. de Minuit, 1971.

Gumperz, J.-J. et Hymes, D. (ed.), *Direction in Sociolinguistics : the Ethnography of Communication*, New York, Holt, Rinehart & Winston, 1972.

Hamilton, D., First Day at School, *in* Delamont, *Readings on Interaction in the Classroom*, London, Methuen, 1984.

Hammersley, M., Woods, P., *The Process of Schooling*, London, Routledge & Kegan Paul, The Open University Press, 1976.

Hammersley, M., Atkinson, P., *Ethnography : Principles in Practice*, London, Tavistock, 1983.

Hargreaves, A., The Signifiance of Classroom Coping Srategies, *in* Barton and Meighan, *Sociological Interpretations of Schooling and Classrooms : a reappraisal*, London, Nafferton Books, 1978.

Hargreaves, D. H., *Social Relations in a Secondary School*, London, Routledge & Kegan Paul, 1978.

Hargreaves, D. H., Whatever happened to Symbolic Interactionism ?, *in* Barton and Meigham, *Sociological Interpretation of Schooling and Classrooms : a reappraisail*, London, Nafferton Books, 1978.

Hargreaves, A., Woods, P. (eds.), *Classrooms and Staffrooms : the Sociology of Teacher and Teaching*, London, Milton Keynes Open University Press, 1984.

Henriot-Van Zanten, A., *L'ethnologie de l'éducation aux Etats-Unis*, document ronéo, 1985.

Isambert-Jamati, V., Sociologie de l'école, *Traité des Sciences pedagogiques*, t. 6, Paris, PUF, 1974.

Isambert-Jamati, V., « Que devient la sociologie de l'éducation en France ? », conférence au Colloque de la PUC, Rio de Janeiro, septembre 1984.

Isambert-Jamati, V., *Culture technique et critique sociale à l'école élémentaire*, Paris, PUF, 1984.

Isambert-Jamati, V., Grospiron, M.-F., Types de pédagogies du français et différenciation sociale. L'exemple du travail autonome en deuxième cycle long, *Etudes de Linguistique appliquée*, n° 54, avril-juin 1984.

Jackson, P., *Life in Classrooms*, New York, Holt, Rinehard & Winston, 1968.

Johnson, L., et Bany, M., *Conduite et animation de la classe*, Paris, Dunod, 1984.

Jones, R., Pouderc, M.-C., Les échanges adultes-enfants en situation scolaire, *Langages*, n° 59, septembre 1980.

Joshua, S., « Eléments du contrat didactique dans l'enseignement secondaire de la physique », communication au Colloque « Approches didactiques dans l'Enseignement secondaire », Grenoble, 1984.

Karabel, J., and Halsey, A. H., Educational Review : A Review and an Interpretation, introduction à *Power and Ideology in Education*, New York, Oxford University Press, 1977.

Keddie, N., Classroom Knowledge, *in* Young M., *Knowledge and Control*, London, Collier & Mac Millan, 1971.

Kohn, R., *Les enjeux de l'observation*, Paris, PUF, 1981.

Kohn, R., Massonat, J., Formation par l'observation des situations éducatives. Eléments pour une problématique, *Revue française de Pédagogie*, n° 43, 1978.

Labov, W., *Le parler ordinaire*, Paris, Editions de Minuit, 1972.

Leiter, K. C. W., Ad Hocing in the Schools : a study of placement practices in the Kindergarden of two schools, *in* Hammersley and Wood *The Process of Schooling*, extrait de A. V. Cicourel *et als.* (eds.), *Language Use and School Performance*, Academic Press, 1974.

Léon, A., Les grilles d'observation des situations pédagogiques : moyen de diagnostic ou instrument de formation des maîtres, Paris, *Revue française de Pédagogie*, n° 30, 1975.

Lewin, Lippitt, R., White, R., Patterns de conduite agressive dans des climats sociaux artificiellement créés, traduit in *Psychologie dynamique*, Paris, PUF, 1959.

Lurçat, L., *La maternelle, une école différente*, Paris, Cerf, 1976.

Lurçat, L., *L'échec et le désintérêt scolaire à l'école primaire*, Paris, Cerf, 1976.

Marchand, F., *Le français tel qu'on l'enseigne*, Paris, Larousse, 1971.

McDermott, R. P., Achieving School Failure, *in* Spindler, *Education and Cultural Process*, New York, Holt, Rinehart & Winston, 1974.

McDermott, R. P., *Kids Make Sense : an Ethnographic Account of the Interactional Management of Success and Failure in one First-Grade Classroom*, Ph.D., 1976.

Medley, D. H., Mitzel, N. F., Measuring Classroom Behavior by Systematic Observation, in *Handbook of Research on Teaching*, Chicago, Rand McNalley, 1963.

Mehan, H., Assessing Children's School Performance, *in* Hammersley and Wood, *The Process of Schooling*, London, Routledge & Kegan Paul, 1976.

Mehan, H., Accomplishing Classroom Lessons, *in* A. Cicourel *et al.* (ed.), *Language Use and School Failure*, New York, Academic Press, 1974.

Mehan, H., *Learning Lessons*, Harvard, The University Press, 1979.

Mehan, H., Le constructivisme social en psychologie et en sociologie, *Sociologie et Société*, vol. XIV, 2, 1982.

Metz, M., *Classrooms and Corridors : the crisis of Authority in desegregated Secondary Schools*, Berkeley, University of California Press, 1978.

Mollo, S., *L'école dans la société. Psychosociologie des modèles éducatifs*, Paris, Dunod, 1969.

Mollo, S., *Les muets parlent aux sourds*, Paris, Casterman, 1975.

Mollo-Bouvier, S., *La sélection implicite à l'école*, Paris, PUF, 1986.

Morrison, A., McIntyre, D., *Profession enseignant*, trad. en français, Paris, Armand Colin, 1975.

Musgrave, P. W., *The Moral Curriculum : A Sociological Analysis*, London, Methuen, 1978.

Ogbu, J., *The Next Generation : An Ethnography of Education in an Urban Neighbourghood*, New York, Academic Press, 1974.

Ogbu, J., School Ethnography : A multilevel approach, in *Anthropology and Education Quarterly*, vol. XII, n° 1, 1981.

Ogbu, J., Anthropology of education, *in* Torsten Husen, T. Neville Postlethwaite (ed.) *The International Encyclopedia of Education : Research and Studies*, London, Pergamon Press, 1985.

Parsons, T., The School Class as a Social System : Some of its functions in American Society, in *Harvard Educational Review*, vol. 19 (4), 1959, *in* Gras, A., *Sociologie de l'éducation : la classe en tant que système social*, Paris, 1976.

Payne, G. C. F., Making a Lesson Happen : an Ethnomethodological Analysis, *in* Hammersley and Woods, *The Process of Schooling*, 1976.

Perrenoud, P., La pratique pédagogique entre l'improvisation réglée et le bricolage. Essai sur les effets indirects de la recherche en éducation, in *Education et Recherche*, n° 5, 1983.

Perrenoud, P., *La fabrication de l'excellence scolaire*, Genève-Paris, Droz, 1984.

Perrenoud, P., « Les pédagogies nouvelles sont-elles élitaires ? », communication à paraître dans *Actes du Colloque « Classes populaires et pédagogies »*, Rouen, 1985.

Perret-Clermont, A.-N., *La construction de l'intelligence dans l'interaction sociale*, Berne-Frankfort, Peter Lang, 1979.

Plaisance, E., *L'échec scolaire. Nouveaux débats, nouvelles approches sociologiques*, Paris, Ed. CNRS, 1985.

Plaisance, E., *L'enfant, l'école maternelle et la société*, Paris, PUF, 1986.

Pollard, A., *The Sociology of the Primary School*, London, Holt, 1985.

Poloni, A., *La pratique des ouvriers enseignants dans les LEP*, thèse de IIIe cycle, Université de Paris V, 1984.

Postic, M., *Observation et formation des enseignants*, Paris, PUF, 1977.

Postic, M., *La relation éducative*, Paris, PUF, 1979.

Pratiques de Formation, n° 11, 12, « Ethnométhodologie », Paris, 1986.

Pujade-Renaud, C., Zimerman, D., *Voies non verbales de la relation pédagogique* ESF, 1976.

Quel corps ?, n° 32, 33, « Ethnométhodologie », Paris, 1986.

Rist, R. C., On Understanding the Processes of Schooling. The Contribution of Labeling theory, *in* Karabel and Halsey, *Power and Ideology in Education.*

Rist, R. C., Student Social Class and Teacher Expectations : the Self-Fulfilling Prophecy in Getho-Education, *Harvard Educational Review*, n° 40, August 1970, p. 411-450.

Rist, R. C., *The Urban-School : Factory for Failure*, Cambridge, Mass., The MIT Press, 1973.

Rist, R. C., On the Relations among Educational Research Paradigmes : From Disdain to Detente, *Anthropology and Education Quarterly*, 8 (2), 42-49, 1977.

Rosenthal, R., Jacobson, L., *Pygmalion dans la classe*, trad. française, Paris, Casterman, 1975.

Simon, A., Boyer, G. E. (ed.), *Mirrors for Behavior. Research for Better Schools*, Philadelphia, t. I, 1968, t. II, 1970.

Sirota, R., Une nouvelle grille d'observation des situations didactiques, *Revue française de Pédagogie*, 1977.

Sirota R., Les enseignants, *Encyclopédie Univers. de la Psychologie*, Paris, Lidis, 1979.

Sirota, R., Les classes moyennes et l'école primaire, *in* Plaisance E., *L'échec scolaire, nouveaux débats, nouvelles approches sociologiques*, Paris, Ed. CNRS, 1982.

Sirota, R., *L'école primaire au quotidien*, thèse de III° cycle, Université Paris V, 1984.

Sirota, R., La classe : un ensemble désespérément vide ou un ensemble désespérément plein ?, Paris, *Revue française de Pédagogie*, juillet 1987.

Sirota, R., Interactions sociales, *Année sociologique*, 1987.

Sharp, R., and Green, A.G., *Education and Social Control*, London, Routledge & Kegan Paul, 1975.

Smith, L. M. and Geoffrey, W., *The Complexities of an Urban Classroom. An Analysis toward a General Theory of Teaching*, New York, Holt, Rinehart & Winston, 1968.

Snyder, B. R., *The hidden Curriculum*, New York, Knopf, 1971.

Snyders, G., *Ecole, classe et lutte de classes*, Paris, PUF, 1975.

Spindler, G. D., *Doing the Ethnography of Schooling*, New York, Holt, Rinehart & Winston, 1982.

Sprenger-Charolles, et coll., *Recherches en didactique du français langue maternelle*, inventaire thématique d'articles de revues français, Paris, INRP, 1985.

SRESAS, Nouvelles études sur l'échec scolaire I et II, *Recherches pédagogiques*, n° 95 et n° 96, Paris, INRP, 1978.

Stebbins, R. A., *Teachers and Meaning, Definitions of Classrooms Situations*, Leiden, E. J. Brill eds., 1975.

Stebbins, R. A., Physical context influences on behavior : the case of classroom disordliness, *in* Hammersley and Woods, *The Process of Schooling*, 1976.

Stubbs, M., *Language, Schools and Classrooms*, London, Methuen, 2° éd., 1983.

Stubbs, M., and Delamont, S. (ed.), *Explorations in Classrooms Observations*, Chichester, New York, Wiley & Sons, 1976.

Stubbs, M., and Hillier, H. (ed.), *Readings on Language, Schools and Classrooms*, London, Methuen, 1983.

Testanière, J., Chahut traditionnel et chahut anomique, Paris, *Revue française de Sociologie*, n° 8, 1967.

Tiberghien, A., Quelques éléments sur l'évolution de la recherche en didactique de la physique, Paris, *Revue française de Pédagogie*, n° 72, juillet-août 1985.

Trottier, C., La nouvelle sociologie de l'éducation en Grande-Bretagne : un mouvement de pensée en voie de dissolution ?, Paris, *Revue française de Pédagogie*, n° 78, janvier-février-mars 1987.

Vincent, G., *L'école primaire française. Etude sociologique*, Lyon, PUL et MSH, 1980.

Voigt, J., Patterns and Routines in Classroom Interaction, in *Recherches en didactiques des mathématiques*, vol. 6, n° 1, Paris, 1985.

Walker, R., Adelman, C., Strawberries, in Stubbs, M., Delamont, S. (eds.), *Exploration in Classroom Observation*, Chichester, Wiley, 1976.

Waller, W., *The sociology of teaching*, New York, John Willey & Sons, 1967.

Watzlawick, P., Weakland, J., *Sur l'interaction*, Paris, Seuil, 1977.

Wilcox, K., Ethnography as a Methodology and its Applications to the Study of Schooling : a Review, in Spindler, *Doing the Ethnography of Schooling*, New York, Holt, Rinehart & Winston, 1982.

Wilcox, K., Differential Socialization in the Classroom : Implications for Equal Opportunity, in Spindler, *Doing the Ethnography of Schooling*, New York, Holt, Rinehart & Winston, 1982.

Willis, P., *Learning to Labour*, Farnborough, Saxon House, 1977.

Willis, P., L'école des ouvriers, *Actes de la Recherche en Sciences sociales*, n° 24, 1977.

Winkin, Y., *La nouvelle communication*, Paris, Seuil, 1981.

Woods, P., and Hammersley, M. (eds.), *School Experience*, London, Croom Helm, 1977.

Woods, P., *The Divided School*, London, Routledge & Kegan Paul, 1979.

Woods, P., *Teacher Strategies*, London, Croom Helm, 1980.

Woods, P., *Pupil strategies*, London, Croom Helm, 1980.

Woods, P., *Sociology and the School : An Interactionnist Viewpoint*, London, Routledge & Kegan Paul, 1983.

Young, M., *Knowledge and Control*, London, Collier & Mac Millan, 1971.

Zazzo, B., Les conduits adaptatives en milieu scolaire : intérêt de la comparaison entre garçons et filles, Paris, *Enfance*, n° 4, 1982.

Zimmermann, D., Un langage non verbal de classe. Le processus d'attraction-répulsion des enseignants à l'égard des élèves en fonction de l'origine familiale de ces derniers, Paris, *Revue française de Pédagogie*, n° 44, 1978.

II. — SOCIALISATION, CLASSES SOCIALES, FAMILLES ET ÉCOLE.

Ballion, R., *Les consommateurs d'école. Stratégies éducatives des familles*, Paris, Stock, 1982.

Belotti, E.-G., *Du côté des petites filles*, Paris, Editions des Femmes, 1973.

Bertaux, D., *Destins personnels et structure de classe*, Paris, PUF, 1977.

Bertaux, D., Bertaux-Wiame, I., *Transformation et permanence de l'artisanat boulanger en France*, Paris, Rapport CORDES, 1980.

Bidou, C., *Les aventuriers du quotidien*, Paris, PUF, 1984.

Boltanski, L., *Prime éducation et morale de classe*, Paris, Mouton, 1969.

Boltanski, L., *Les cadres : la formation d'un groupe social*, Paris, Editions de Minuit, 1982.

Boudon, R., Bourricaud, F., Socialisation, *Dictionnaire critique de la Sociologie*, Paris, PUF, 1982.

Bourdieu, P., « Avenir de classe et causalité du probable, Paris, *Revue française de Sociologie*, XV, 1974.

Bourdieu, P., Boltanski, L., Saint-Martin, M. de, Les stratégies de reconversion. Les classes sociales et le système d'enseignement, *Information sur les Sciences sociales*, 12/5.

Bronfenbrenner, Socialization and Social Class through Time and Space, *in* Maccoby, E., Newcomb T., Hartley, E., *Readings in Social Psychology*, New York, Holt, 1958.

Bronfenbrenner, *Enfants russes, enfants américains*, Paris, Fleurus, 1971.

Byrne, E. M., *Women and Education*, Social Science Paperbacks, Tavistoks Publications Limited, 1978.

Chamboredon, J.-C., La délinquance juvénile, essai de construction d'objet, Paris, *Revue française de Sociologie*, XII, 1971.

Chamboredon, J.-C., Prévot, J., Le métier d'enfant, Paris, *Revue française de Sociologie*, XII, 7, 1973.

Chombart de Lauwe, M.-J., Un monde autre : l'enfance. De ses représentations à son mythe, Payot, 1971.

Choquet, O., Un dossier famille, *Les Collections de l'INSEE-M 86*, 1981.

Clerc, P., La famille et l'orientation scolaire au niveau de la 6ᵉ, *Population et Enseignement*, Paris, PUF, 1970.

Courtois, J.-P., Delhaye, G., L'école. Connotation et appartenance sociale, Paris, *Revue française de Pédagogie*, n° 54, janvier-mars 1981.

Combessie, J.-C., Education et valeurs de classe dans la sociologie américaine, Paris, *Revue française de Sociologie*, janvier-mars - X - 1969.

CRESAS, *Ouvertures : l'école, la crèche, les familles*, Paris, L'Harmattan-INRP, coll. CRESAS, n° 3, 1984.

Crozier, M., *Le monde des employés de bureau*, Paris, Seuil, 1965.

Crubellier, M., *L'enfance et la jeunesse dans la société française, 1800-1950*, Paris, Armand Colin, 1979.

Decroux-Masson, A., *Papa lit, maman coud, des manuels scolaires en bleu et rose*, Paris, Denoël-Gonthier, 1979.

Dehan, N., Percheron, A., Barthélemy-Thomas, M., La démocratie à l'école, Paris, *Revue française de Sociologie*, XXI, n° 3, juillet-septembre 1980.

Delamont, S., *Sex Roles and the School*, London, Methuen, 1980.

De Queiroz, J.-M., *La désorientation scolaire. Sur le rapport social des familles populaires urbaines à la scolarisation*, thèse de IIIᵉ cycle, Université Paris VIII, 1981.

Devouassoux-Merakchi, J., *La petite bourgeoisie et l'école*, thèse de IIIᵉ cycle, Université Paris V, 1975.

Enfants (Les) de Barbiana, *Lettre à une maîtresse d'école*, Paris, Mercure de France, 1975.

Enfants et parents en question : l'enfant de 7 à 11 ans, sa famille, son environnement, Paris, Fédération Nationale des Ecoles de Parents et Educateurs, 1980.

Ernaux, A., *Les armoires vides*, Paris, Gallimard, 1974.

Fosse-Polliak, C., Entre résignation et révolte, quelles stratégies ?, *Autrement*, n° 21, octobre 1979.

Fraisse, G., La petite fille, sa mère et son institutrice, Paris, *Les Temps modernes*, num. spécial, 1976.

Gerôme, N., Le statut de l'enfance et les fonctions éducatives de la famille, Paris, *Cahiers du* CERM, n° 125, 1976.

Girard, A., L'école, mythes et inégalités, dans Français qui êtes-vous ? Des essais et des chiffres, Paris, *La Documentation française*, 1981.

Girard, A., Clerc, P., Nouvelles données sur l'orientation scolaire au moment de l'entrée en 6ᵉ, Paris, *Population et Enseignement*, 1970.

Giraud, M., *Races et classes à la Martinique. Les relations sociales entre enfants de différentes couleurs à l'école*, Paris, Ed. Anthropos, 1979.

Goblot, E., *La barrière et le niveau*, Paris, PUF, 1925, réédité en 1967.

Gresle, F., *Indépendants et petits patrons. Pérennité et transformations d'une classe sociale*, Paris, PUL, Librairie Honoré Champion, 1980.

Halbwachs, M., *Esquisse d'une psychologie des classes sociales*, Paris, Rivière, 1964.

Halbwachs, M., *Classe sociale et morphologie*, Paris, Editions de Minuit, 1972.

Helias, P.-J., *Le cheval d'orgueil*, Paris, Plon, 1975.

Henriot Van-Zanten, A., *L'école et le milieu local*, thèse de doctorat, Université Paris V, 1987.

Hoggart, R., *La culture du pauvre*, traduction française, Paris, Editions de Minuit, 1970.

Hurtig, M.-F., Elaboration socialisée de la différence des sexes, Paris, *Enfance*, n° 4, 1982.

Isambert-Jamati, V. Sirota, R., La barrière, oui, mais le niveau ?, Paris, *Cahiers internationaux de Sociologie*, vol. LXX, 1981.

Joseph, I., Fritsch, P., Disciplines à domicile, Paris, *Recherches*, n° 28, novembre 1977.

Lautrey, J., *Classe sociale, milieu familiale et intelligence*, Paris, PUF, 1984.

Les jeunes et les autres, Colloque de Recherche sur les Jeunes, 9, 10 décembre 1985, actes publiés par le ministère de la Recherche et de la Technologie.

Lienard, G., Servais, E., La transmission culturelle. Stratégie des familles et positions sociales, *Cahiers internationaux de Sociologie*, vol. LIX, 1975.

Loux, F., L'enfance et les savoirs sur le corps, *Ethnologie française*, vol. VI, 1976.

Mingat, A., Perrot, J., Famille : coûts d'éducation et pratiques socioculturelles, *Etudes et Documents*, n° 4, IREDU, 1980.

Mingat, A., Perrot, J., Les dépenses des familles pour l'éducation des enfants, *L'enfant, la famille et l'école*, dirigé par F. Mariet, ESF, 1980.

Mosconi, N., Des rapports entre la division sexuelle du travail et inégalités de chances entre les sexes à l'école, Paris, *Revue française de Pédagogie*, n° 62, janvier-mars 1983.

Pacaud-Breton, J., *Les parents et l'école maternelle*, thèse de IIIᵉ cycle, Université Paris V, 1981.

Passeron, J.-C., F. de Singly, Différences dans la différence : socialisation de classe et socialisation sexuelle, Paris, *Revue française de Sciences politiques*, n° 1, février 1984.

Percheron, A., Stratégies éducatives, normes éducatives et classes sociales, *L'enfant, la famille et l'école*, dirigé par F. Mariet, Paris, *ESF*, 1980.

Percheron, A., Famille et socialisation de l'enfant, *Revue française des Affaires sociales*, n° 3 spécial : *Recherches et Familles*, Paris, octobre-décembre 1983.

Petonnet, C., *Ces gens-là*, Paris, Maspero, 1968.

Petonnet, C., *On est tous dans le brouillard. Ethnologie des banlieues*, Paris, Editions Galilée, 1979.

Plaisance, E., *L'enfant, la maternelle et la société*, Paris, PUF, 1986.

Porcher, L., *L'école parallèle*, Paris, Larousse, 1973.

Pourtois, J.-P., Delhaye, G., L'école : connotations et appartenance sociale, Paris, *Revue française de Pédagogie*, n° 54, janvier-février-mars 1981.

Prost, A., L'école et la famille dans une société en mutation (1930-1980), *Histoire générale de l'Enseignement et de l'Education en France*, Nouvelles Librairies de France, 1981.

Querrien, A., Travaux élémentaires sur l'école primaire. L'enseignement à l'école primaire, Paris, *Recherches*, n° 23, juin 1976.

Segalen, M., *Sociologie de la famille*, Paris, Armand Colin, 1981.

Segré, M., *Enfants et adolescents face au temps libre*, Paris, ESF, 1981.

Simon, J. et coll, Langages et classes sociales : attentes des mères de milieux socio-économiques différents quant au langage de leurs enfants, *Journal de Psychologie normale et pathologique*, n° 1-2, Paris, janvier-juin 1973.

Sirota, R., Eidelman, J., Autonomie et dépendance des pratiques culturelles enfantines : le cas de la bibliothèque des enfants du Centre Pompidou, Genève, *Actes du Colloque franco-suisse, « Pratiques des Acteurs, Pratique des Institutions »*, à paraître 1988.

Tanguy, L., L'Etat et l'école. L'école privée en France, Paris, *Revue française de Sociologie*, XIII, 1972.

Tedesco, E., *Des familles parlent de l'école*, Paris, Casterman, 1979.

Terrail, J.-P., De quelques histoires de transfuges, *Cahiers du LASA*, n° 2, 1984.

Terrail, J.-P., Familles ouvrières, destin social (1880-1980), Paris, *Revue française de Sociologie*, XXV, 1984.

Thevenot, L., Une jeunesse difficile : les fonctions sociales du flou et de la rigueur dans les classements, *Actes de la Recherche en Sciences sociales*, n° 26/27, 1979.

Vandenplas-Holper, C., *Education et développement social de l'enfant*, Paris, PUF, 1975.

Verret, M., *Le temps des études*, Paris, PUL, Librairie Honoré Champion, 1975.

Vincent, G., *Introduction à « Etude sur la socialisation scolaire »*, Paris, Ed. du CNRS, 1979.

Testanière, *Les enfants des milieux populaires et l'école : une pédagogie populaire est-elle possible ?*, thèse de doctorat d'Etat, Université Paris IV, 1981.

Wagner, K., Warks, R., *La représentation de l'école chez les ouvriers d'aujourd'hui*, thèse de IIIe cycle, Université Paris VIII, ronéotée, 1977.

Wolpe, A. M., Some Process in Sexist Education. Exploration, *Feminism*, London, n° 1, Women's Research and Ressources Center Publication, 1977.

Zarca, B., L'ami du trait, l'itinéraire d'un compagnon charpentier, Paris, *Actes de la Recherche en Sciences sociales*, n° 29, septembre 1979.

Zarca, B., Artisanat et trajectoires sociales, Paris, *Actes de la Recherche en Sciences sociales*, n° 29, septembre 1979.

Zoberman, N., Les attentes des parents face à l'école, Paris, *Cahiers du CRESAS*, INRP, n° 9, 1974.

Zonabend, N., *La mémoire longue. Temps et histoire au village*, Paris, PUF, 1980.

III. — OUVRAGES DE RÉFÉRENCES :
SOCIOLOGIE, LINGUISTIQUE, ÉPISTÉMOLOGIE

Abraham, A., *Le monde intérieur des enseignants*, Paris, Epi, 1972.

Baudelot, C., Establet, R., *L'école capitaliste en France*, Paris, Maspero, 1972.

Baudelot, C., Establet, R., *L'école primaire divise*, Paris, Maspero, 1975.

Benveniste, E., L'appareil formel de l'énonciation, *Langages*, n° 17, 1970, Larousse.

Berger, I., *Les instituteurs d'une génération à l'autre*, Paris, PUF, 1979.

Bernard, R., *Ecole, culture et langue française*, Paris, TEMA Formation, 1972.

Bisseret, N., Langage et identité de classe. Les classes sociales « se » parlent, *L'Année sociologique*, vol. 25, 1974.

Bisseret, N., Classes sociales et langage : au-delà de la problématique privilège-handicaps, *L'Homme et la Société*, n° 37, 38, 1975.

Boudon, R., *Effets, pervers et ordre social*, Paris, PUF, 1977.

Bourdieu, P., Passeron, J.-C., *Les héritiers*, Paris, Editions de Minuit, 1964.

Bourdieu, P., Saint-Martin, M. de, *L'excellence scolaire et les valeurs du système d'enseignement français*, texte ronéoté, Centre de Sociologie européenne, 1969.

Bourdieu, P., Saint-Martin, M. de, Les catégories de l'entendement professoral, *Actes de la Recherche en Sciences sociales*, n° 3, 1975.

Bourdieu, P., *Le sens pratique*, Paris, Editions de Minuit, 1980.

Bourdieu, P., *Ce que parler veut dire. L'économie des échanges linguistiques*, Paris, Fayard, 1982.

Bourgeois J.-P., Comment les instituteurs perçoivent l'échec scolaire, Paris, *Revue française de Pédagogie*, n° 62, janvier-février-mars 1983.

Cahiers internationaux de Sociologie, vol. 21, num. spécial sur « L'explication en sociologie », juillet-décembre 1966.

Chapoulie, *Les professeurs du second degré, un métier de classe moyenne*, Paris, Maison des Sciences de l'Homme, 1987.

Chobaux, J., Un système de normes pédagogiques, Paris, *Revue française de Sociologie*, VIII, num. spécial, 1968.

Chobaux, J., Etude de la relation éducative. Quelques réflexions méthodologiques, Paris, *Revue française de Sociologie*, XIII, n° 1, 1972.

Dannequin, C., Hardy, M., Platone, F., Le concept de handicap linguistique, *Cahier du* CRESAS, n° 12, 1975.

Esperet, E., *Langage et origine sociale des élèves*, Berne-Francfort, Peter Lang, 1979.

Fontaine, D., *Ecris, tais-toi ! L'enseignement du français*, Paris, CERF, 1974.

Freund, J., De l'interprétation dans les Sciences sociales, *Cahiers internationaux de Sociologie*, vol. LXV, 1978.

Foucault, M., *Surveiller et punir*, Gallimard, 1975.

Granger, G.-G., L'explication dans les Sciences sociales, *in* J. Piaget et coll., *L'explication dans les Sciences*, Flammarion, 1973.

Grawitz, M., *Méthode des Sciences sociales*, Paris, Dalloz, 1972.

Herpin, N., *Les sociologues américains et le siècle*, Paris, PUF, 1973.

Isambert-Jamati, V., Les enseignants et la division sociale à l'école d'aujourd'hui, *La Pensée*, n° 190, décembre 1976.

Isambert-Jamati, V., et coll., *La réforme de l'enseignement du français à l'école primaire*, Paris, CNRS, 1977.

Labov, W., La langue des paumés, *Actes de la Recherche en Sciences sociales*, n° 17/18, novembre 1977.

Labov, W., *Le parler ordinaire*, Paris, Editions de Minuit, 1978.

Lalive d'Epinay, Ch., La vie quotidienne. Essai de construction d'un concept sociologique et anthropologique, communication au *Colloque « Sociologie et Anthropologie de la vie quotidienne »*, Paris, 1982.

Lefebvre, H., *Critique de la vie quotidienne. Fondements d'une sociologie de la quotidienneté*, L'Arche, 1958, 1961.

Léger, A., Déterminants sociaux des carrières enseignantes, Paris, *Revue française de Sociologie*, vol. XXII, 4, 1981.

Léger, A., Tripier, M., *Fuir ou construire l'école populaire*, Paris, Méridiens-Klincksieck, 1986.

Lurçat, L., *La maternelle : une école différente*, Edition du Cerf, 1976.

Pinell, P., Zafiropoulos, M., La médicalisation de l'échec scolaire. De la pédopsychiatrie à la psychanalyse familiale, *Actes de la Recherche en Sciences sociales*, n° 24, novembre 1978.

Précheur, J.-C., Les déterminants de la réussite et l'orientation au niveau du baccalauréat, *L'Orientation scolaire et professionnelle*, n° 1, 1977.

Rocher, G., *Introduction à la sociologie générale*, t. I : *L'action sociale*, Paris, « Points », Seuil, 1968.

Sainsaulieu, R., *L'identité au travail*, Presses de la Fondation nationale des Sciences politiques, 1977.

Segré, M., Chobaux, J., *L'enseignement du français à l'école élémentaire. Quelle réforme ?*, Paris, PUF, 1981.

Seibel, C., *Evolution de l'enseignement à l'école primaire. Cycle préparatoire 1979, passage CP-CE*, document ronéoté.

Todorov, T., Problèmes de l'énonciation, *Langages*, n° 17, mars 1970.

Thelot, *Tel père, tel fils. Position sociale et origine familiale*, Paris, Dunod, 1982.

Voluzan, J., *L'école primaire jugée*, Paris, Larousse, 1975.

Wallon, H., Les disciplines intellectuelles, *Encyclopédie française*, t. VIII, section B., chapitre I, 1938.

Imprimé en France
Imprimerie des Presses Universitaires de France
73, avenue Ronsard, 41100 Vendôme
Juillet 1988 — No 33 657